« É C L A T S   D E   R I R E »
C OLLECTION T HÉÂTRE ET R ÉCITS POPULAIRES
COMIQUES

Vouée tout entière aux récits populaires, la
collection « Éclats de rire » accueille notamment les comédies de divertissement et les
histoires drôles sans prétention intellectuelle,
mais ô combien tonifiantes et bienfaisantes.

Se révélant la marque des esprits à la fois
humoristiques, ironiques (mais non caus-
tiques) et fondamentalement généreux, et le
lieu de jeux d'écriture tout à fait libres, les
textes publiés dans « Éclats de rire », toujours
d'une grande vivacité, se proposent d'offrir
au commun des mortels un rire franc,
énorme, cathartique, donc libérateur, comme
seuls savent le provoquer les récits populaires
comiques, les boulevards, les vaudevilles et
les burlesques de la meilleure tradition.

Drôle en diable !

GILLES LATULIPPE

Drôle en diable !

Histoires drôles

COLLECTION
« ÉCLATS DE RIRE »

ÉDITIONS ÉLÆIS
Montréal, 2000

Paucus sed bonus, bellus utilisque.

© L E S É D I T I O N S É L Æ I S, 2000
Eric-Henri B. Tandundu, Éditeur
C.P. 156, succ. M, Montréal (Québec) Canada H1V 3L8
Tél. : (514) 899-5129 Téléc. : (514) 899-5359
Adresse électronique : elaeis@sympatico.ca

*Tous droits de traduction, de reproduction et d'adaptation
réservés pour tous pays.*

ISBN 2-922424-34-0
Dépôt légal : 4e trimestre 2000
Bibliothèque nationale du Québec
Bibliothèque nationale du Canada
Imprimé au Canada

En hommage à mon ami Marcel Gamache.

On n'arrête pas de rire parce qu'on vieillit.
On vieillit parce qu'on arrête de rire.

G. L.

PRÉFARCE

Rire, rire. Rire jusqu'aux larmes en écoutant ou en lisant des bonnes histoires si bien racontées par mon ami Gilles Latulippe ! Que de merveilleux moments passés à nous amuser et, chose plus importante à nos yeux, à amuser le public.

Que ce soit pour les plus petits ou les plus grands, pour les jeunes ou les plus vieux, le rire est sans conteste la meilleure thérapie, le remède à tous les maux. De là à le surnommer Docteur du rire, il n'y a qu'un... sourire !

Et docteur du rire, Gilles Latulippe l'est non seulement par ses histoires tellement drôles, mais aussi par la tournure particulière de son esprit si vif et si fin. Au point qu'il nous a tous conquis et nous gardera encore bien longtemps sains et souriants.

Gilles Latulippe, c'est une intelligence exceptionnelle, une mémoire d'éléphant, une grande érudition et un sens merveilleux de l'humour. C'est là, entre autres choses, ce qui fait de ce grand artiste l'homme qu'on veut entendre, qu'on veut lire et surtout qu'on veut avoir pour ami.

En tout cas, je vous souhaite de bien bonnes heures de rire avec ce livre. Quant à moi, je le lirai en entendant encore dans ma tête et dans mon cœur tous les personnages que ce démon du midi a créés dans ses histoires, alors que débutaient nos mille et un midis.

Amusez-vous bien !

SUZANNE LAPOINTE

Mme Suzanne Lapointe et M. Gilles Latulippe.

AVANT-PROPOS

Je suis parfois surpris d'entendre de gros rires suscités par une vieille histoire que je croyais connue de tous. Au fond, il n'y a pas vraiment de nouvelles histoires, il y a des nouveaux publics. Les histoires sont comme le bon vin, elles s'améliorent en vieillissant. Pour que le climat futur d'une rencontre soit plus amical, une bonne histoire est souvent tout indiquée.

Des histoires, on en trouve partout : à la télé, dans les livres, dans les journaux, sur Internet... Ce ne sont pas les sources qui manquent, mais tout est dans la façon de les raconter. Il faut choisir l'endroit, le moment, le bon public. Si ces conditions ne sont pas remplies, vous perdrez votre temps et plutôt que de faire rire, vous risquez d'être déplacé.

Il y a deux parties dans une histoire : la montée et le punch. La meilleure façon de manquer une histoire, c'est de l'étirer pour rien. Bien souvent, plus le gag est court, plus le rire est franc, prolongé.

Si quelqu'un vous demande : « Connaissez-vous l'histoire de... ? » Si vous la connaissez, vous pouvez l'interrompre. Mais s'il commence à vous la raconter, comme ça, pour le fun, de grâce, même si vous la connaissez, laissez-le finir. Le plaisir de raconter une histoire est aussi grand que de l'entendre.

Ne donnez jamais de détails inutiles : que le gars trouve une mouche dans sa soupe aux nouilles ou dans sa soupe aux tomates, l'histoire n'est pas plus drôle. Que ça se passe à Montréal ou à Québec, si ça n'apporte rien, ne donnez pas de détails inutiles, oubliez ça.

Faites le bon choix de mots. Assurez-vous que vous connaissez bien l'histoire par cœur, que la montée et le punch sont à la bonne place. Trop souvent, on entend quelqu'un qui, au milieu d'une histoire, s'arrête et dit : « Ah, j'avais oublié de dire que le gars était paqueté. »

Si votre histoire tombe à plat, si personne ne rit, ne l'expliquez pas, s'il vous plaît. Si votre histoire avait besoin d'explication, vous n'auriez pas dû la raconter. N'ayez pas peur d'adapter votre histoire à votre environnement, d'ajouter des détails personnels ou d'impliquer des gens que vous connaissez. Cela va lui donner un côté réaliste.

Il faut être très habile pour prendre des accents étrangers. Si vous essayez et ne réussissez pas bien l'accent souhaité, les gens ne riront pas de l'histoire, ils riront de vous. Si l'histoire est bonne, elle va très bien passer en français, sans accent.

Il faut que le punch soit une surprise. Alors, il faut faire bien attention de ne pas le vendre avant la fin. Si le public devine le punch au milieu de l'histoire, il perd tout intérêt.

Le punch est la partie la plus importante de l'histoire. Répétez-le dans votre tête exactement comme il doit être donné pour être sûr de ne pas le gâter le moment venu, comme Éphrem.

Une petite mise en garde pour terminer.

C'est un fait intéressant et paradoxal que la lecture d'un livre d'histoires n'est généralement pas drôle ! Lire et raconter une histoire, c'est deux choses bien différentes. Quand on raconte une histoire, les mots qu'on choisit et l'intonation qu'on utilise contribuent à créer une tension qui fait la force du gag. Cette tension n'existe pas à la simple lecture. Une histoire drôle n'est pas faite pour être lue ! Ou plutôt, *elle est lue pour être racontée à une ou plusieurs personnes.*

Partant de là, ce que je vous offre aujourd'hui n'est pas un livre. C'est un outil, un aide-mémoire pour vos meilleurs gags. Vous n'avez ni à les lire ni à les raconter dans l'ordre dans lequel ils apparaissent dans ce recueil.

Lire des histoires, c'est comme les autres plaisirs : il faut en user avec modération. Une, deux histoires à la fois, pas plus.

GILLES LATULIPPE

L'auteur et l'éditeur sont tombés d'accord sur l'impérative nécessité de conserver au langage de toutes les histoires drôles leur forme populaire, sans laquelle elles perdraient fatalement leur âme et leur tonus.

N. D. É.

C'est un monsieur qui va voir le docteur. Il lui dit :

— Docteur, je viens vous voir parce que je ne me sens pas très bien. Je me sens fatigué.

— Écoutez, je vais vous examiner. Est-ce que vous mangez bien ?

— Oui, je ne fais pas trop d'abus.

— Vous n'abusez pas trop de l'alcool ?

— Non, pas d'abus de ce côté-là non plus.

— Bon, très bien ! Et pour la bagatelle... ? Enfin, vous voyez ce que je veux dire...

— Écoutez, à peu près trois fois par mois.

Le docteur reprend :

— Trois fois par mois, mais c'est pas assez !

Le patient répond :

— Écoutez, docteur, je trouve que c'est pas si pire pour un curé de campagne.

Trois chiens sont dans une cage chez le vétérinaire. Le premier chien demande au deuxième pourquoi il est là. Le deuxième chien répond :

— Mon maître m'a dit que si je continuais à boire l'eau de la toilette, il me ferait endormir. J'ai continué, c'est pour ça que je suis ici.

Le premier chien pose la même question au troisième. Le troisième chien répond :

— Ma maîtresse m'a encore une fois surpris à faire pipi sur le tapis. Elle m'avait averti que ça serait la dernière fois, c'est pour ça qu'elle me fait endormir.

Le deuxième chien demande au premier la raison pour laquelle il est là.

Il répond :

— Ce matin, ma maîtresse est sortie de la douche et sa serviette est tombée par terre. Pendant qu'elle était penchée pour la ramasser, j'en ai profité pour lui faire une passe et j'ai abusé d'elle.

Le deuxième chien dit :

— Je comprends pourquoi elle te fait endormir.

Le premier chien répond :

— Elle ne m'a pas emmené ici pour me faire endormir, elle veut juste me faire couper les griffes.

Un bonhomme de 75 ans se présente dans une banque du sperme. Les gardes-malades se regardent avec un sourire, mais ne disent rien pour ne pas le vexer. On lui remet gentiment une bouteille et on le dirige vers un « cubicule », après lui avoir expliqué la procédure à suivre.

Deux heures et demie plus tard (elles avaient complètement oublié le vieil homme), l'une d'elles se rappelle soudainement qu'on avait emmené notre homme dans le cubicule numéro 3. La garde va frapper à la porte, le donneur ouvre et elle lui demande comment ça va.

— Ça ne va pas très bien, lui répond le bonhomme. J'ai essayé avec la main droite, j'ai essayé avec la main gauche, j'ai essayé à deux mains, j'ai même essayé de la frapper sur les cadres de porte. Rien à faire, pas moyen d'ouvrir la maudite bouteille.

Après avoir longuement marchandé, un monsieur est parvenu à convaincre un vendeur d'automobiles.

— C'est entendu, répond le vendeur, si vous me payez comptant, ça sera 30 000 $, moins 10% de rabais spécial.

Ne voulant pas montrer son ignorance en mathématique, le client se penche vers la ravissante caissière du concessionnaire et lui demande :

— Si je vous donnais 30 000 $, moins 10 %, qu'est-ce que vous enlèveriez ?

La caissière répond :

— Tout, excepté mes boucles d'oreilles.

Un soir, dans un théâtre où l'on jouait une pièce très ennuyante, une femme se penche vers son mari pour lui dire :

— Regarde, mon voisin de droite s'est endormi.

Son mari lui répond :

— Tu me réveilles pour me dire ça !

Un curé a eu le nez complètement broyé dans un accident de voiture. Un chirurgien de ses amis lui dit :

— Aucun problème. Puisque dans ton métier, ton sexe ne te sert à rien, je vais te refaire le nez avec de la peau de pénis.

On pratique l'opération et elle réussit à merveille. Un mois plus tard, il retourne voir le chirurgien qui l'interroge :

— Alors, tout se passe bien ?

Le curé lui répond :

— Très bien, sauf que quand je confesse mes belles paroissiennes, le nez me rallonge de 10 centimètres.

Dans un petit hôtel minable, un monsieur se plaint à la patronne :

— Il y a une punaise morte dans mon lit.

La patronne répond :

— Si elle est morte, elle ne vous fera pas de mal.

Le monsieur réplique :

— C'est pas celle-là qui m'énerve, c'est les 250 autres qui sont venues à ses funérailles.

Pourquoi est-ce que dans les photos traditionnelles de mariage, le mari est toujours assis et la femme, debout à côté ? Parce que lui, il est trop fatigué pour se tenir debout puis elle, elle a de la misère à s'asseoir.

Une femme dit à son mari :

— Maintenant que nous venons d'emménager dans notre nouvel appartement, il faudrait mettre des rideaux à la fenêtre de la salle de bain. Sinon les voisins vont voir maman toute nue quand elle va prendre son bain.

— Laisse faire. Quand ils auront vu ta mère une fois toute nue, c'est eux autres qui vont mettre des rideaux à leur fenêtre.

Un gars dit à son ami :

— J'ai beaucoup de succès avec les femmes ; je les caresse divinement bien. C'est parce que j'ai étudié le piano pendant dix ans.

L'autre lui répond :

— Moi aussi j'ai beaucoup de succès avec les femmes et quasiment pour la même raison. Seulement moi, je joue de la musique à bouche.

— Docteur, chaque nuit, je fais le même cauchemar. Je vois ma belle-mère qui vient vers moi avec un crocodile en laisse.

— Ça doit être horrible, en effet.

— C'est terrible ! Les yeux jaunes et cruels, la peau verdâtre et rugueuse, les dents prêtes à vous déchiqueter, la bave qui sort de partout...

Le psychanaliste l'interrompt :

— Arrêtez, vous me faites frémir.

Le patient :

— Attendez, maintenant je vais vous décrire le crocodile.

Après avoir fouillé dans son portefeuille, le monsieur se met à crier à sa femme :

— Ton fils m'a pris de l'argent !

— Tu l'accuses bien vite ! Après tout, ça pourrait être moi ou maman...

— Sûrement pas, il en reste.

Les trois grands enfants d'un millionnaire viennent se confesser à lui. Le premier lui dit :

— Papa, j'ai fréquenté une danseuse de cabaret et maintenant, elle est enceinte. Pour la laisser, il me faudrait 25 000 $.

Le père lui fait un chèque et demande à son deuxième fils ce qu'il veut. Celui-ci lui répond la même chose : il a lui aussi besoin de 25 000 $ pour laisser la fille. Le père lui fait à lui aussi un chèque du même montant. Et finalement, il se retourne vers sa fille.

— Papa, je suis enceinte et le père de mon enfant veut m'abandonner.

— Ah, enfin ! dit le père. Pour une fois, on va collecter !

Un homme entre dans le cabinet d'un médecin et lui saute au cou en disant :

— Merci, docteur. Grâce à vous, ma vie est tellement plus belle.

Le médecin :

— Je ne vous connais pas. Vous n'êtes pas un de mes patients.

— C'est vrai, mais vous avez soigné ma belle-mère

ces six derniers mois. Les pattes lui ont enfin levé puis je sais pas comment vous remercier.

— Vite, vite ! crie un monsieur à un pêcheur. Ma femme vient de tomber dans le fleuve. Sauvez-la et je vous donne 500 $.

Aussitôt, le pêcheur plonge et ramène une femme sur le quai.

— Mais ce n'est pas du tout ma femme, c'est ma belle-mère !

— Ah ! fait le pêcheur, déçu. Alors je vous dois combien ?

Un gars demande à son ami :
— Comment va ta belle-mère ?
— Comment, tu ne le sais pas ? Elle est morte il y a une quinzaine de jours d'une crise d'apoplexie. Oh, quand elle est tombée, elle m'a fait peur. Je pensais qu'elle avait juste perdu connaissance.

Quelle est la différence entre une laitue, un léopard et une belle-mère ? La laitue est achetée au marché, le léopard est tacheté sur le dos et la belle-mère est à jeter par la fenêtre.

Un gendre dit à sa cuisinière :
— Ma belle-mère vient passer une quinzaine de jours chez nous. Voici la liste de ses plats préférés. La

première fois que vous lui en servez un, vous êtes renvoyée.

Le monsieur à son vétérinaire :

— Ma belle-mère vient passer une semaine chez nous et mon chien ne peut pas la sentir.

— Ah ! vous m'amenez le chien pour que je lui donne un calmant ?

— Non, pour lui faire aiguiser les dents !

Deux niaiseux se balançaient sur une planche qu'ils avaient placée sur le rebord de la fenêtre au deuxième étage. L'un était dans le vide et l'autre, dans la pièce. On sonne à la porte. Celui qui était dans la pièce se lève et descend au premier pour aller ouvrir. Il voit son ami étendu par terre devant la porte et lui dit, tout surpris :

— Avoir su que c'était toi, je ne me serais pas dérangé !

Un homme arrive tout énervé chez le docteur et lui dit :

— C'est épouvantable, docteur. Vous voyez, j'ai les cheveux bruns et ma femme aussi. Mais pourtant, elle vient d'accoucher d'un bébé roux.

— Voyons, parfois deux parents bruns donnent un bébé roux.

— Non, pas comme celui-là, docteur. Elle m'a trompé !

— Pas nécessairement. Vous avez un certain âge malgré vos cheveux bruns. Avez-vous beaucoup de relations sexuelles avec votre femme ?

— Une fois par six mois.

— Ah ! je vois ce que c'est : c'est de la rouille !

— Savez-vous comment faire changer un catholique de religion ? Vous lui foutez un grand coup de pied au derrière et il se retourne en protestant.

Après la guerre de 39-45, un curé qui avait vécu dans un couvent durant toute la période des hostilités va voir son évêque :

— Ah, Monseigneur, il s'en est passé des choses terribles pendant la guerre. Les Allemands sont venus et ils ont violé toutes les sœurs, sauf sœur Gertrude. Ensuite, les Polonais sont venus et, eux aussi, ils ont violé toutes les sœurs, sauf sœur Gertrude. Puis ça été les Français qui ont fait la même chose, sauf à la sœur Gertrude...

— Mais pourquoi à chaque fois ont-ils laissé sœur Gertrude ?

— Ah, Monseigneur, parce qu'elle ne voulait pas !

Deux hommes se baignent dans la piscine. L'un dit à l'autre :

— T'es vraiment dégueulasse de faire pipi dans l'eau. L'autre lui répond :

— Tout le monde fait ça.

— Oui, mais pas du plongeoir !

À la récréation, un enfant demande à l'autre :
— Qu'est qu'il fait, ton papa ?
— Il est fonctionnaire.
— Et ta maman ?
— Elle ne travaille pas non plus.

Une maîtresse d'école téléphone chez un petit garçon et lui demande :
— Veux-tu me passer ta maman ?
— Maman est dans la salle de bain.
— Alors, ne la dérange pas et passe-moi ton papa.
— Lui aussi il est dans la salle de bain.
— Ah bon ? Est-ce que tu penses que ça va être long ?
— Oh oui, madame, parce que tout à l'heure, ils m'ont demandé le tube de vaseline et je leur ai donné le tube de colle !

Un adolescent pas dégourdi va pour la première fois aux danseuses. Cinq minutes après le début du spectacle, il sort en courant :
— Maman m'avait dit que si j'allais aux danseuses, je me changerais en pierre... je sens que ça commence !

J'ai su que je n'étais pas un enfant désiré quand j'ai réalisé que mes jouets pour le bain étaient une radio et un séchoir à cheveux.

Annonce classée : « Cirque cherche à engager homme-canon. Doit aimer voyager. »

Une femme dit à son amie :

— Depuis trois mois, j'ai mis mon mari au régime. À tous les repas, je ne lui sers que des carottes : soupe aux carottes, salade de carottes, bouillie de carottes, gâteau aux carottes... juste des carottes !

— Et qu'est-ce qu'il te dit, ton mari, quand il te voit arriver avec tes carottes ?

— Il ne dit rien. Il me regarde avec ses petits yeux roses et il remue ses grandes oreilles.

Le directeur d'un cirque itinérant offre 50 $ en prix à celui qui réussira à faire crier l'éléphant. Plusieurs concurrents s'essaient sans succès. Finalement, un petit garçon réussit à faire crier l'animal en lui serrant violemment les bijoux de famille. Il gagne son 50 $.

L'année suivante, le petit garçon retourne au cirque et cette fois, le directeur offre 100 $ à celui qui fera dire « oui » et « non » à l'éléphant. Le petit garçon s'approche de l'éléphant et lui parle à l'oreille. L'éléphant hoche la tête de haut en bas puis de gauche à droite, et le petit garçon empoche l'argent. Le directeur, très intrigué, lui demande ce qu'il lui a dit.

— Oh ! je lui ai posé deux questions. D'abord : « Tu me reconnais ? » Ensuite : « Veux-tu que je recommence comme l'année passée ? »

Un fruitier demande à une vieille dame qui tripotait des fruits depuis un long moment ce qu'elle faisait là. La vieille dame lui répond :

— Je tâte les pêches pour savoir si elles sont mûres.

Le fruitier lui répond :

— Très bien ! Demain, j'aurai des noix. Venez avec un marteau !

Une jeune actrice d'Hollywood raconte à son amie sa première rencontre avec un grand metteur en scène :

— Il m'a dit : « Si tu me fais confiance, dans un an tu auras un Oscar. » Je lui ai fait confiance et il a tenu parole. Viens voir mon Oscar. Il est dans son berceau et il vient d'avoir trois mois.

Un homme vient s'engager comme fonctionnaire. Le directeur du personnel lui demande :

— Qu'est-ce que vous savez faire ?

— Interpréter : je suis polyglotte.

— Ça veut dire quoi ?

— Eh bien, je possède cinq langues.

— Très bien ! Vous irez au service du courrier pour lécher des timbres !

Un vieux fermier avait deux chevaux et il n'était pas capable de les différencier. Un jour, pour les reconnaître, il décide de couper la crinière d'un des deux chevaux. Cependant, quelques semaines plus tard, elle repousse. Il fait la même tentative avec la queue, mais sans succès. En désespoir de cause, il parle de son problème à un de ses amis qui lui conseille de mesurer les deux chevaux. Le fermier trouve que c'est une très bonne idée. Il mesure ses chevaux et constate que le cheval blanc est 30 centimètres plus haut que le cheval noir.

Une mère, très énervée, appelle chez son médecin et lui dit :
— Docteur, mon fils a avalé une balle de carabine !
Le docteur essaie de la calmer et lui dit :
— Énervez-vous pas. Donnez-lui de l'huile de ricin et pointez-le pas vers personne.

Un policier arrête un homme en moto pour lui dire que sa femme est tombée depuis cinq kilomètres. Le niaiseux lui répond :
— Merci mon Dieu, je pensais que j'étais devenu sourd !

— J'ai une mauvaise et une bonne nouvelle pour vous, dit le docteur. La mauvaise c'est que votre fiancé a une maladie vénérienne.
— Ah, mon Dieu ! Docteur, c'est épouvantable ! Mais la bonne nouvelle c'est quoi ?
— C'est pas de vous qu'il a pogné ça !

Trois femmes sont assises dans l'autobus et chacune est accompagnée de sa petite fille. Un monsieur, debout devant les trois femmes, amorce la conversation. Il dit à la première :

— Vous avez une très jolie fille ! Comment s'appelle-t-elle ?

La mère répond :

— J'aime tellement les fleurs que je l'ai appelée Marguerite.

Le monsieur pose la même question à la deuxième. Elle répond :

— J'aime tellement les plaisirs de la table que je l'ai appelée Olive.

Au moment où le monsieur va poser la même question à la troisième, celle-ci prend sa petite fille par la main, se lève et dit :

— Viens-t-en, Zizi, on s'en va !

Un évêque faisait sa visite dans une paroisse très pauvre du Québec. En visitant le presbytère, l'évêque s'aperçoit qu'il n'y a qu'un seul lit dans la chambre à coucher.

— Vous n'avez qu'une seule chambre à coucher ?

— Oui, Monseigneur, nous sommes trop pauvres pour agrandir le presbytère.

Mais votre servante, où est-ce qu'elle couche ?

— Ici, mais vous savez, nous avons un gros chien bien dompté et il couche entre nous deux.

— Mais vous devez avoir des tentations... Qu'est-ce que vous faites alors ?

— Quand ça m'arrive, je me lève, je vais dehors faire le tour du presbytère, ça passe et je reviens.

— Mais votre servante, elle doit avoir des tentations elle aussi.

— Quand ça lui arrive, c'est elle qui se lève, qui va dehors faire le tour du presbytère et ça lui passe.

— Mais si ça vous arrive d'avoir une tentation tous les deux en même temps ?

— Dans ce cas-là, Monseigneur, on envoie le chien faire le tour du presbytère.

Un jour, un petit garçon demande à sa mère s'il pouvait coucher avec elle et faire pareil comme papa. La mère, très surprise, répond qu'elle ne sait pas et qu'elle va y penser. Elle en parle avec son mari qui lui répond que les enfants doivent faire leurs expériences. La mère répond donc à son petit garçon qu'elle est d'accord. Le soir venu, elle dit au petit qu'il faut maintenant se coucher. Le petit garçon lui dit :

— Va te déshabiller et moi, je vais prendre ma douche et j'arrive.

La mère lui dit que c'est bien. Il prend sa douche, arrive, se déshabille, se couche près de sa mère et lui dit :

— Chérie, tu penses pas qu'il serait temps d'acheter une nouvelle bicyclette au p'tit ?

Une course de chevaux va bientôt débuter et près du départ, un touriste voit un prêtre faire des signes de la croix en direction d'un cheval. Sûr de lui, il court

au guichet et mise tout ce qu'il a sur le cheval en question. Il suit la course et à son grand désespoir, le cheval arrive bon dernier.

En sortant de l'hippodrome, il aperçoit le prêtre dans
la foule. Il s'approche et lui dit :

— Je vous retiens, monsieur le curé. C'était bien la
peine de lui donner la bénédiction, il est arrivé dernier.

Le curé lui répond :

— Je ne lui donnais pas la bénédiction, je lui donnais
l'extrême-onction !

— Est-ce que tu as des photos de ta femme toute
nue ?

— Non, je n'en ai pas !

— En veux-tu ?

Quand mon beau-père a marié ma belle-mère, après
la cérémonie de mariage, il a demandé au curé combien
il lui devait. Le prêtre lui dit :

— Il n'y a pas de tarif établi d'avance. Vous donnez
le montant équivalent à la beauté de votre épouse.

Le beau-père lui a donné 5 $. Le prêtre a regardé
ma belle-mère puis lui a remis 3 $.

Un niaiseux arrive au restaurant et demande un
sandwich aux tomates « toasté » d'un bord.

— C'est parce que j'ai des dents juste en haut.

Dans un hôpital, un patient voit passer un homme vêtu d'une blouse blanche et l'interpelle :

— Excusez-moi, docteur...

L'homme habillé en blanc le reprend tout de suite et lui dit :

— Non, je ne suis pas docteur, je suis infirmier. Mais c'est pas grave, je passe souvent pour un docteur.

Un deuxième homme passe, lui aussi vêtu de blanc. Le patient lui crie :

— Excusez-moi, monsieur l'infirmier...

L'homme l'interrompt :

— Non, je ne suis pas infirmier, je suis docteur. Mais ce n'est pas grave, je passe souvent pour un infirmier.

Il y a un troisième homme qui passe, également habillé en blanc. Le patient lui crie :

— Excusez-moi, vous êtes un docteur qui passez pour un infirmier, ou un infirmier qui passez pour un docteur ?

L'homme en blouse blanche lui répond :

— Non, je suis le plâtrier et je passe pour aller faire pipi !

Le rédacteur en chef d'un journal était impitoyable sur la longueur des articles. Il les coupait à grands coups de crayon rouge en criant : « Trop de mots ! »

Mais un reporter lui apporta un jour un texte, en le défiant d'y enlever un seul mot : « Un automobiliste, monsieur Labrosse, frotta une allumette pour voir s'il restait de l'essence dans son réservoir. Il en restait ; funérailles mardi. »

Un professeur de golf essaie de faire comprendre à une jeune femme comment tenir son bâton. À la fin, il lui suggère :

— Avec votre petit ami, vous devez bien faire des petites affaires... Eh bien, tenez votre bâton comme vous tenez son sexe.

Elle essaie et frappe la balle du premier coup.

— Parfait, dit le professeur. Maintenant, essayez de le tenir avec vos mains plutôt qu'avec la bouche.

Un gars essaie une nouvelle boucherie. En plus de la cervelle de veau et de porc, il remarque qu'on vend de la cervelle de médecin, d'avocat et de député. Il remarque aussi que la cervelle d'avocat se vend 5 $ la livre, celle de médecin 7 $ la livre et celle de député 15 $ la livre. Le client demande au boucher :

— Comment se fait-il que la cervelle d'avocat se vende 5 $ la livre, la cervelle de médecin 7 $ la livre, et que celle de député se vende 15 $ la livre ?

Le boucher répond :

— Avez-vous une idée du nombre de députés que ça prend pour faire une livre de cervelle ?

Un homme d'un certain âge qui n'avait plus beaucoup d'attirance pour sa femme va voir un médecin et celui-ci lui dit :

— Votre femme ne vous inspire plus. Alors vous devrez faire fonctionner votre imagination. Quand la lumière sera fermée, imaginez-vous que vous faites l'amour à Mitsou. Vous répéterez dans votre tête, à voix basse : « C'est Mitsou, c'est Mitsou... » Vous allez voir, c'est miraculeux.

Le soir même, sa femme qui était étendue dans le lit, l'appelle. Avant même d'entrer dans la chambre, il commence à répéter à voix basse : « C'est Mitsou, c'est Mitsou... » Une fois étendu à côté de sa femme, il l'entend murmurer : « C'est Rock Voisine, c'est Rock Voisine... »

Un homme qui marchait dans un parc rencontre un vieil homme assis sur un banc en train de pleurer à chaudes larmes.

— Pauvre homme, vous n'avez pas d'argent ? demande l'homme.

— Non, j'ai 90 ans et j'ai 5 millions de dollars à la banque.

— Alors, vous devez être tout seul au monde.

— Non, j'ai une femme superbe de 30 ans et on fait l'amour trois à quatre fois par jour.

— Vous avez perdu tous vos amis ?

— Non, j'ai beaucoup de parents et d'amis, en plus de ma femme.

— Mais alors, pourquoi vous pleurez ?

— Je ne me rappelle plus où j'habite !

Le directeur d'une mercerie est en train de faire un rapport à la police. Le magasin s'est fait cambrioler. La police demande :

— Avez-vous une liste de ce que les voleurs ont pris ?

Le propriétaire dit :

— J'ai la liste certain et c'est effrayant. Si seulement on m'avait volé la semaine passée, j'aurais perdu moins, Tout était en vente !

Savais-tu que mon tailleur a posé une fermeture éclair de 30 centimètres à mes pantalons... ?

— Ça ne prouve rien. Mon petit frère ouvre la grande porte du garage pour sortir sa bicyclette !

Une femme fait repeindre toute sa maison. Un matin, pendant que le peintre est dans le salon, elle aperçoit une marque de peinture fraîche sur le mur de sa chambre. Elle pense alors que c'est son mari qui a touché le mur par accident. Elle sort de sa chambre en déshabillé et va trouver le peintre :

— Si ça ne vous dérange pas, pouvez-vous venir avec moi dans ma chambre ? J'aimerais vous montrer où mon mari a mis sa main hier soir.

Le peintre la regarde, hésite, et lui répond :

— Si ça ne vous dérange pas, j'aimerais autant un verre de bière.

Trois points de vue différents, trois remarques différentes :

La prostituée : « Dépêche-toi. As-tu fini ? »

La grande amoureuse : « N'arrête pas. Encore, encore... ! »

L'épouse : « Chéri, il faudrait repeindre le plafond. »

Dans un train, un voyageur occupe la couchette supérieure d'un wagon-lit. Dans la couchette inférieure, une très belle femme s'endort. Le voyageur porte une perruque et pendant la nuit, sa perruque décolle, glisse et tombe dans le lit de la femme. L'homme se penche, étend la main et tâte pour retrouver sa perruque, quand il entend la femme murmurer :

— Oui, c'est ça, c'est ça...

— Mais non, c'est pas ça. La mienne est séparée sur le côté !

Une fille épouse un garçon qui avait perdu un pied dans un accident. Après son voyage de noces, elle écrit à sa mère qui demeure loin et lui apprend la nouvelle. Elle termine en disant :

— Laisse-moi ajouter que mon mari est merveilleux, même s'il n'a qu'un pied.

Et la mère lui répond :

— T'es bien chanceuse. Ton père avait rien que 6 pouces !

L'homme qui s'endort avec un problème amoureux se réveille souvent avec la solution en main.

Embrasser une fille au téléphone, ce n'est pas très plaisant, à moins d'être dans la même cabine qu'elle.

Le gouvernement va bientôt sortir une nouvelle formule d'impôts simplifiée. Vous n'aurez qu'à répondre à trois questions :

1. Combien d'argent avez-vous gagné l'an dernier ?

2. Combien vous reste-t-il ?

3. Faites-nous parvenir la somme inscrite au numéro 2.

La différence entre amnésie et magnésie, c'est que le gars qui souffre d'amnésie ne sait pas où il va.

Cette femme-là est tellement propre qu'elle met même du papier journal en dessous de son horloge coucou.

Deux gars qui prennent un coup ensemble dans un bar s'échangent des trucs pour ne pas réveiller leurs femmes quand ils rentrent dans leur chambre à coucher. Le premier dit à l'autre :

— C'est toujours quand on se déshabille qu'on réveille notre femme. Alors, le secret, c'est de se déshabiller en bas de l'escalier, ensuite de monter et de se coucher sans faire de bruit.

L'autre lui demande :

— Est-ce que tu te déshabilles complètement ?

— Oui, complètement.

Dès le soir, l'autre essaie le truc de son ami. Le

lendemain, ils se retrouvent. Le premier lui demande comment s'est déroulée son expérience.

— Parle-moi-z-en pas. Hier soir, j'ai bu encore plus que d'habitude et quand je suis arrivé au bas de l'escalier, je me suis déshabillé au complet, comme tu me l'avais dit, mais quand je suis arrivé en haut..

— Ta femme t'a surpris ?

— Non, pas elle mais une quinzaine d'autres : j'étais à l'entrée de la station de métro Berri-UQÀM.

Dans le port, une prostituée essaie de faire une pipe à un marin qui s'était fait tatouer une ancre de bâteau sur le sexe. Au bout d'une demi-heure d'efforts infructueux, la fille abandonne et dit :

— Ça serait plus simple si tu me disais à quelle heure tu penses lever l'ancre !

Un petit garçon couche dans la même chambre que son père et sa mère. Vers 1 heure du matin, il dit à son père :

— Papa, va me chercher un verre d'eau ; je vais continuer à brasser le lit pour maman.

Un petit garçon regarde un ouvrier sur une échelle, qui fait des réparations à la toiture. Au bout d'un moment, l'ouvrier échappe son marteau. Il descend pour le ramasser et le petit garçon lui dit :

— Mon père en a deux. Quand il en échappe un, il n'a pas besoin de descendre.

L'ouvrier remonte et continue à travailler. Au bout de quelques minutes, il échappe son tournevis et il descend pour le ramasser. Le petit garçon lui dit :

— Mon père en a deux. Quand il en échappe un, il n'est pas obligé de descendre.

L'ouvrier, à bout de patience, remonte. Il redescend quelques minutes plus tard pour soulager sa vessie. Il fait pipi près d'un arbre et, montrant ce qu'il tient dans sa main, il dit au petit garçon :

— Tu viendras pas me dire que ton père en a deux.

Le petit garçon lui répond :

— Oui, monsieur : il en a un petit comme ça pour faire pipi et il en a un plus gros pour maman !

Un petit garçon arrive tout énervé chez lui et dit à sa mère qu'il arrive de chez une tireuse de cartes. Elle lui a dit que sa mère mourra dans une semaine, sa grand-mère la semaine suivante, et qu'à la troisième, ce serait le tour de son père.

On réussit à rassurer l'enfant, mais une semaine plus tard, la mère meurt écrasée dans un accident d'auto. La semaine suivante, la grand-mère meurt d'une crise cardiaque. Une semaine passe et le petit, inquiet, surveille l'état de santé de son père. Il lui conseille de faire attention, de ne pas sortir, de ne prendre aucun risque. Au même moment, on entend du bruit dans le corridor. Le garçon ouvre la porte et aperçoit le laitier qui venait de mourir d'une syncope.

Le mari qui avait porté la barbe pendant vingt ans décide de la faire couper, pensant que ça allait le rajeunir. Il n'en parle pas à sa femme puisqu'il veut lui faire une surprise. Il sonne chez lui, sa femme répond, lui saute au cou et l'embrasse passionnément.

— Alors, tu aimes ça ? Ça me change beaucoup ?

— Mon Dieu, c'est toi ! Je ne t'avais pas reconnu !

Un cultivateur va voir le docteur et lui demande un conseil. Il aime passionnément sa femme, mais quand il arrive à la maison le soir, il n'a plus la force de le lui prouver. Le jour, ça serait merveilleux mais il ne peut pas quitter son champ.

Le docteur lui conseille donc d'apporter sa carabine avec lui au champ. Quand il a le goût de sa femme, il tire un coup de carabine, sa femme vient le rejoindre, ils font ce qu'ils ont à faire et tout le monde est content.

Deux mois plus tard, le cultivateur retourne chez le docteur, la mine basse. Le docteur lui demande ce qui ne va pas et il répond :

— Docteur, votre truc de la carabine...

— Qu'est-ce qu'il y a, ça n'a pas marché ?

— Oui, pendant un mois, c'était merveilleux. Je tirais un coup de carabine et ma femme accourait. Mais depuis un mois, il y a eu l'ouverture de la chasse et je n'ai jamais revu ma femme !

Un mari veut savoir si sa femme lui est fidèle pendant qu'il travaille. Il place donc un bol de crème sous le lit avec un bâton attaché au sommier. Le bâton pend juste assez pour ne pas toucher à la crème. Comme ça, si on remue trop le lit, le bâton est taché de crème.

Le lendemain au retour du travail, il va tout de suite voir sous le lit, la crème est changée en beurre.

Une jeune mariée raconte à une amie :

— J'ai bien aimé mon voyage de noces, mais il y a une chose qui m'a désappointée : c'était pas assez long !

Une femme qui vient de mourir arrive au ciel et demande à saint Pierre :

— Est-ce que mon mari est ici ? Il s'appelle Durant.

— Il y a beaucoup de Durant ici. Avez-vous plus de détails ?

— Il s'appelle Joseph Durant.

— Il y a des centaines d'hommes qui s'appellent Joseph Durant.

— Mon mari m'avait dit avant de mourir que si je le trompais, il se retournerait dans sa tombe.

— Oh, ça va, je sais de qui vous voulez parler. Ici, on l'appelle Durant la Toupie.

— Aimes-tu les femmes qui ont les hanches très larges, des seins pendants, qui sont laides et qui pèsent presque 200 livres ?

— Jamais de la vie, j'aime pas ça !

— Alors, laisse donc ma femme tranquille.

La femme de l'acrobate du cirque menace de laisser son mari parce qu'il la trompe continuellement. Il lui promet d'être fidèle mais un soir, elle entre dans la roulotte et voit son mari couché avec la naine du cirque.

— Après tout ce que tu m'avais promis, tu me trompes encore !

— Au moins, avoue que je diminue !

— Je n'ai jamais eu de relations avec ma femme avant notre mariage. Et toi ?

— Je ne sais pas. C'est quoi son nom de fille ?

Une femme arrive à la maison avec un manteau de fourrure.

— Où as-tu pris ça ?

— Je l'ai gagné dans un tirage, dit la femme.

Quelques jours plus tard, elle revient au volant d'une belle voiture.

Le mari la questionne et elle répond :

— J'ai gagné cette voiture dans un tirage.

La semaine suivante, elle arrive avec un collier de perles.

— Je l'ai gagné dans un tirage. Veux-tu me faire couler un bain, chéri. Je veux me laver avant de repartir.

Quelques minutes plus tard, le mari lui annonce que son bain est prêt. La femme entre dans la salle de bain mais, à sa grande surprise, il y a à peine quelques gouttes d'eau dans la baignoire.

— Qu'est-ce qui t'arrive ? Il n'y a presque pas d'eau dans le bain. Pourquoi ?

— Je ne voulais pas que tu mouilles ton billet de tirage.

Une très belle femme, un peu sotte, se marie sans jamais avoir vu un homme nu. Le soir de sa première nuit de noces, il lui dit qu'elle est chanceuse et qu'il est le seul homme à en posséder une comme ça. Le mari s'absente pour une semaine. À son retour, sa femme lui dit :

— Le temps que tu as été parti, ton frère est venu. Tu m'avais dit que tu étais le seul à en avoir une, c'est pas vrai, ton frère aussi en a une !

Le mari pense vite et il dit à sa femme :

— Mais oui, j'en avais deux et j'en ai donné une à mon frère.

— Maudit niaiseux ! Pourquoi tu lui as donné la meilleure ?

Deux maris nerveux sont dans la salle d'attente de la salle d'accouchement. Le premier dit :

— Je suis malchanceux... juste durant mes vacances.

Le deuxième :

— Je suis malchanceux... juste pendant mon voyage de noces !

Vous savez pourquoi les prostituées ne votent jamais aux élections ? Parce que pour elles, que ce soit l'un ou l'autre qui rentre, ça ne les dérange pas.

La prostituée :

— Nous avons le produit le plus profitable du monde. Nous l'avons, nous le vendons et nous l'avons encore.

Un voleur accoste une vieille fille.

— Donnez-moi votre argent, c'est un hold-up.

— Je n'ai pas un sou.

Le voleur ne la croit pas. Il fouille son sac et dit :

— Vous devez cacher votre argent sur vous.

Il se met à la fouiller. Au début, elle résiste puis semble se calmer.

— Non, c'est vrai, vous n'avez rien.

Alors elle murmure :

— Arrêtez pas, arrêtez pas, je vais vous signer un chèque.

Règlement inscrit dans un couvent : « Pas de lumière après 10 heures, pas de chandelles après 1 heure. »

Une jeune fille dit à son professeur d'éducation physique :

— J'ai fait beaucoup de marche et ça m'a fait grossir les pieds. J'ai aussi fait beaucoup de natation et j'ai des gros bras.

— Je vois que vous êtes aussi allée souvent à cheval.

Dans un collège pour filles, on avait commencé à accepter des garçons mais on avait seulement un dortoir. Alors, on a dessiné une ligne blanche sur le plancher et on a suspendu des draps.

Un soir, on surprend un garçon de l'autre côté de la ligne. Le lendemain, il est convoqué chez le directeur.

— Je ne laisse aucune chance, c'est 10 $ d'amende ; la deuxième fois, c'est 20 $, la troisième, c'est 30 $...

— Vendez-vous des billets de saison ?

La blonde :

— Tu te rappelles cette robe que j'ai mise lors du dernier party et qui a fait sensation ?

La brune :

— Celle qui était « topless », qui n'avait pas de dos et qui, pour tout dire, n'avait pas de jupe...

— Oui, c'est ça. Eh bien, je viens de réaliser que c'était une ceinture !

Une belle femme monte sur le toit d'un hôtel et décide de prendre un bain de soleil. Comme elle est seule et qu'elle voudrait ne pas avoir de démarcations, elle enlève son costume de bain et s'étend sur le ventre de tout son long.

Quelques instants plus tard, le gérant de l'hôtel paraît et dit à la dame que la direction de l'hôtel aimerait qu'elle remette son costume de bain.

— Mais je suis seule ici. Je ne dérange personne.

— Madame, vous êtes installée sur la verrière de la salle à manger !

Un docteur dit à son patient :

— Je n'arrive pas à savoir de quoi vous souffrez. C'est probablement à cause de l'alcool.

Le patient lui répond :

— Parfait, docteur, je reviendrai quand vous serez à jeun.

— Docteur, j'avais tellement froid hier soir, j'avais tellement le frisson que je ne pouvais pas dormir.

— Avez-vous claqué des dents ?

— Je ne pourrais pas vous le dire. Elles étaient dans un verre à côté du lit.

Une belle fille murmure à son docteur :

— Je ne sais pas comment vous remercier. Je n'avais pas confiance aux psychiatres. Mais maintenant, je me sens guérie. J'aimerais ça vous embrasser pour vous remercier.

— Voyons, madame, soyez raisonnable.

— Juste un petit baiser, docteur. Ça me ferait tellement plaisir. Refusez-moi pas ça.

— Il faudrait être plus sérieuse, madame. Pour dire la vérité, je ne devrais même pas être couché avec vous.

Un ivrogne dit à son ami :

— Moi, je joue à la bourse et je vais te donner un bon tuyau. Je connais une compagnie de caoutchouc synthétique qui va se fusionner avec une compagnie de sucre.

— Mais c'est pas dans le même domaine.

— Je le sais mais ils vont fabriquer des faux seins qui vont fondre dans la bouche.

Une femme va chez le boucher acheter un lapin pour faire un civet. En revenant chez elle, elle glisse sur le trottoir et tombe assise. Le sac se déchire et le lapin tombe entre ses jambes. Au même moment, un ivrogne passe et lui dit :

— Pleurez pas, ma petite dame. De toute façon, il n'était pas normal, regardez-y les oreilles !

Trois vieillards sont sur une plage de Floride et se plaignent. Le premier :

— C'est pas drôle de vieillir. Toutes ces belles filles en costume de bain, puis je peux presque plus les voir. Mon problème, c'est la vue.

Le deuxième :

— Moi, j'adore le caviar, le homard et le champagne puis maintenant, il faut que je commande de la salade puis des jus de légumes. Mon problème, c'est la digestion.

Le troisième :

— La nuit dernière, j'étais couché puis j'ai demandé à ma femme de se retourner... Elle m'a dit : « Non, pas encore. Ça fait trois fois en ligne et on a fini il y a juste dix minutes. » Moi mon problème, c'est la mémoire !

Cette fille-là fait l'amour style cafétéria : on se sert soi-même.

Deux épais sont allés faire de la pêche sur glace. Ça leur a pris une heure juste pour faire un trou assez grand pour mettre la chaloupe à l'eau.

Une grand-mère promène son petit-fils qui pleure dans son carrosse. Elle se penche vers lui et lui dit :

— Reste tranquille. Fais dodo, Diplôme. Un homme, qui passait au même moment, s'arrête et dit à la femme :

— Vous appelez ce bébé-là Diplôme ? C'est pas un nom pour un enfant ! Pourquoi vous l'appelez comme ça ?

— Parce que j'ai envoyé ma fille au collège et c'est tout ce qu'elle m'a rapporté.

Un monsieur voulait s'acheter un perroquet. Finalement, il en a acheté un à l'encan mais il a payé un très gros prix parce qu'il y avait toujours quelqu'un qui faisait monter l'enchère. L'acheteur demande :

— Au moins, est-ce qu'il parle ?

— Est-ce qu'il parle ?

— S'il parle, c'est lui qui vous relançait tout le temps !

Un homme dit à sa femme :

— Vois-tu l'homme là-bas ? Avant, c'était le meilleur pêcheur de requins au monde. On l'appelait le Champion.

— Et maintenant ? demande la femme.

— On l'appelle le Manchot.

Un ivrogne se confie à un ami :

— J'oublierai jamais le jour où j'ai remplacé ma femme par une bouteille. C'est terrible, je suis resté la quéquette pognée dans le goulot.

Notre compagnie d'assurances est spécialisée dans les règlements rapides. L'autre jour, une femme est tombée du trentième étage d'un immeuble. Un de nos agents l'a vue et comme elle passait devant le douzième étage, il lui a donné son chèque.

L'agent d'assurances dit au fermier :

— Oui, votre ferme a brûlé mais nous ne vous donnerons pas d'argent. Nous allons vous en construire une autre identique.

— Si c'est votre façon de procéder, vous pouvez annuler l'assurance sur ma femme.

L'amusement et l'assurance vie ont beaucoup de points en commun. Plus on vieillit, et plus les deux coûtent cher.

Avant d'effectuer un vol, le pilote examine un vieil avion et dit :

— Je ne prendrai pas les commandes d'un appareil aussi pourri, c'est un vrai suicide.

Tous les passagers descendent de l'avion et au bout d'une demi-heure, un représentant de la compagnie les rappellent et tout le monde remonte à bord. Un des passagers s'approche du représentant et lui demande :

— Est-ce qu'on a changé d'avion ?

— Non, c'est le même appareil.

— Alors on a changé les moteurs ?

— Non.

— Qu'est-ce qu'on a changé ?

— Le pilote !

La femme monte au ciel et rencontre saint Pierre qui lui dit :

— Pour tous les péchés qu'il te reste à expier, tu vas redescendre sur terre et tu vas me rapporter un mouton blanc.

La femme redescend donc sur terre et rencontre [nommez ici quelqu'un de votre choix]. Saint Pierre, qui les regarde d'en haut, lui dit :

— J'ai dit un mouton, pas un cochon !

Un gars rencontre un de ses amis qui s'en allait dans la rue en poussant un gros tonneau.

— Qu'est-ce que tu fais avec un tonneau comme ça ?

— Je m'en vais chez le docteur.

— Tu vas chez le docteur ? Mais pourquoi tu apportes ce tonneau ?

— Mon docteur m'a examiné il y a quelques mois et il m'a dit : « Revenez me voir dans quatre mois avec vos urines. »

Une belle jeune femme qui portait l'uniforme de l'Armée du Salut prêchait sur une place publique :

— Convertissez-vous. Vous ne savez pas ce que demain vous réserve. Ce soir je dormirai dans les bras de mon mari, mais demain, je serai peut-être dans les bras du Seigneur.

Au milieu de la foule on entend une voix qui demande :

— Et après-demain, vous êtes libre ?

Le nouveau pensionnaire d'une maison de chambres va se plaindre à la patronne :

— Il y a plein de mouches dans les toilettes.

— Faites comme les autres pensionnaires, allez-y pendant les repas.

— Pourquoi pendant les repas ?

— Parce que pendant les repas, les mouches sont toutes dans la cuisine.

Un play-boy entre dans une pharmacie et dit au pharmacien :

— J'aurais besoin d'un aphrodisiaque. J'ai invité deux nymphomanes à passer la nuit chez moi. Il me faut quelque chose de très fort.

Le pharmacien lui donne ce qu'il y a de mieux. La nuit passe et le lendemain, il retourne à la pharmacie et demande au pharmacien :

— Conseillez-moi donc un bon liniment.

— Un liniment ? Pourquoi ?

— Pour mon poignet : les filles ne sont pas venues !

Un client félicite un serveur pour la propreté du restaurant. Le serveur lui dit :

— C'est la fierté du patron. Regardez, le patron nous donne une petite cuillère pour qu'on ne touche jamais aux aliments. Il nous a même fait installer une petite corde après la braguette de notre pantalon.

— C'est très astucieux, mais pour vous la remettre dans le pantalon, comment faites-vous ?

— On prend la cuillère !

Au dernier tour d'une course de chevaux, une femme dit à son mari :

— Regarde, chéri, c'est sûrement le cheval qui porte un foulard rouge qui va gagner.

— C'est pas un foulard rouge, c'est sa langue !

Ma blonde a les deux plus belles jambes du monde.
— Comment tu sais ça ?
— Je les ai comptées.

Qui de l'homme ou de la femme retire le plus de satisfaction de l'acte sexuel ? Quand l'oreille vous pique et que vous vous grattez avec votre petit doigt, qu'est-ce qui ressent la meilleure sensation : le doigt ou l'oreille ?

— Docteur, de quoi souffre mon mari ?
— Il a besoin de repos. C'est pour ça que je vous donne des tranquillisants. Vous en prendrez trois par jour.

Ma femme et moi, on a été heureux pendant vingt ans. Après, on s'est rencontrés.

Deux jeunes mariés se retrouvent pour souper. L'homme trouve sa femme bizarre et il lui demande ce qu'elle a.

— Je n'avais pas osé t'en parler avant, mais maintenant j'en suis sûre : nous allons bientôt être trois.

— C'est merveilleux, j'attendais ça avec impatience.

— Oui, maman m'a écrit. Elle vient vivre avec nous autres.

Une jeune fille qui avait épousé un vieux bonhomme pour son argent va voir son médecin :

— Docteur, mon mari est trop amoureux. Je suis épuisée.

— Vous m'aviez dit qu'il était très âgé.

— Oui, docteur, il me disait qu'il économisait depuis des années, puis moi qui pensais que c'était de l'argent.

La petite fille qui dit à sa grand-mère :

— Regarde. Quand je donne du gâteau à ton chien, il remue la queue.

La grand-mère lui répond :

— Garde-z-en pour ton grand-père.

Un père qui était désespéré des mauvais bulletins de son fils lui propose :

— À chaque mois, quand tu arriveras avec un bon bulletin, je vais te donner 100 $.

Le fils, tout content, se rend à l'école le lendemain, Il va voir son professeur et lui dit :

— Aimeriez-vous ça faire 50 $ par mois ?

Dans l'armée, un soldat demande à l'autre :

— Pourquoi t'es rentré dans l'armée ?

— J'étais célibataire puis j'aimais la guerre, et toi ?

— J'étais marié puis j'aimais la paix !

Un gars appelle la police :

— J'ai reçu une lettre de menace.

— Est-ce que c'est une lettre anonyme ?

— Non, non, elle est signée.

— Ah oui, qui vous l'envoie ?

— Revenu Canada.

— Docteur, mon fils fait pipi au lit.

— Ne vous en faites pas, ça passe très vite.

— Ah oui, tant mieux parce que sa femme est en train de devenir folle !

— Sais-tu la différence entre ta femme et une Rolls Royce ?

— Non, je ne le sais pas.

— La plupart des gens n'ont jamais essayé une Rolls Royce.

— Es-tu marié ?

— Non.

— As-tu des candidates en vue ?

— Si je me marie, je voudrais que ma femme soit riche, belle, bien éduquée, gentille, intelligente, généreuse, chaude et propre.

— Tu veux te marier combien de fois ?

Trois femmes placotent. La première demande :

— Est-ce que vos maris amènent du travail à la maison ?

La seconde dit :

— Oui, il est avocat et il amène parfois des dossiers pour les préparer à la maison.

La troisième :

— Oui, il est comptable et il ramène parfois des dossiers à la maison. Et le tien ? demande-t-elle à la première femme, qui répond :

— Malheureusement, oui.

— Pourquoi « malheureusement, oui » ? Qu'est-ce qu'il fait, ton mari ?

— Il est embaumeur.

Ils étaient mariés pour le meilleur et pour le pire. Il ne pouvait pas trouver meilleur et elle ne pouvait pas trouver pire.

Laide... c'est le genre de fille que tu amènes au cinéma quand tu veux vraiment voir le film.

C'est un gars qui rencontre son ami. Il a un œil au beurre noir. Son ami lui demande :

— Qu'est-ce qui est arrivé ?

— C'est le mari de la voisine qui nous a surpris ensemble qui m'a fait ça.

L'ami lui dit :

— Je pensais qu'il était en voyage.

Le gars répond.

— Moi aussi.

Un squelette entre dans une taverne. Il dit au garçon :

— Apporte-moi une bière puis une moppe.

Quand il était jeune, sa mère voulait engager quelqu'un pour prendre soin de lui, mais la mafia chargeait trop cher.

Quand il était jeune, ses parents l'ont presque perdu, mais ils ne l'avaient pas amené assez loin dans le bois.

Elle est tellement laide que jeune, quand elle jouait à la cachette, personne ne la cherchait.

Un gars retourne chez le denturologiste et lui dit :

— Vous m'avez fait des dentiers il y a quinze jours, mais y font pas !

Le denturologiste lui demande :

— Êtes-vous capable de mastiquer un peu avec ?

Le patient répond :

— Oui.

— Êtes-vous capable de manger des pommes ?

— Oui.

— Êtes-vous capable de manger du blé d'Inde ?

— Oui.

— Je ne comprends pas. Vous me dites que vous êtes capable de manger des pommes, du blé d'Inde, puis vous me dites qu'y font pas !

— Y font pas dans le verre sur ma table de chevet.

Deux gars sont à la pêche. Le premier veut absolument pêcher du côté gauche de la chaloupe. C'est effectivement une bonne décision car il n'arrête pas de sortir des poissons.

Le lendemain, les deux mêmes gars retournent à la pêche, mais cette fois, le premier insiste pour pêcher du côté droit de la chaloupe. Le résultat est aussi fulgurant que la veille. Son ami lui demande :

— Comment décides-tu de quel côté de la chaloupe tu vas pêcher ?

L'autre lui explique :

— Quand je me réveille le matin, si ma femme est couchée sur le côté gauche, je pêche du côté gauche. Si elle est couchée du côté droit, je pêche du côté droit.

Le premier lui demande alors :

— Et si elle est couchée sur le dos ?

L'autre lui répond :

— Ce matin-là, je ne vais pas à la pêche.

Mon beau-frère, ce n'est pas un voleur mais il trouve des choses avant que les gens ne les perdent.

Voici comment les femmes réagissent, selon leur nationalité, le jour où elles apprennent que leur mari les trompe :

L'Italienne tue son mari.

L'Espagnole tue son mari et sa rivale.

L'Allemande se tue elle-même.

La Japonaise tue sa rivale et se tue ensuite.

L'Anglaise noie son chagrin dans le scotch.

La Russe fait la même chose, mais avec de la vodka.

L'Américaine calcule le montant de la pension alimentaire qu'elle va demander.

La Québécoise cherche un homme pour se venger de son mari.

Pourquoi les vieux donnent-ils de bons conseils ? Parce qu'ils ne sont plus capables de donner le mauvais exemple !

Dans une salle de danse, un homme se plaint :

— C'est drôle. À chaque fois que je vous invite à danser, la danse me paraît plus courte.

— Oui, c'est normal : le chef d'orchestre, c'est mon mari !

Le docteur dit à un vieux patient qui vient de se marier avec une femme très jeune et active :

— Cette fille abrège vos jours.

— Oui, mais elle allonge mes nuits.

Un vieux se plaint à un de ses amis :

— À toutes les nuits, je fais un cauchemar affreux. Je rêve que Mitsou entre dans ma chambre toute nue.

— Puis tu te plains ?

— Oui, elle ferme la porte trop fort et je me réveille !

Une star de cinéma dit à l'une de ses amies :

— Il y a deux gars riches et beaux qui m'aiment. Les deux veulent m'épouser et je suis très embêtée : je ne sais pas par lequel commencer.

Une star de cinéma, la même, raconte à la même amie qu'elle a épousé secrètement un prince italien.

— Chanceuse ! Est-ce qu'il est content au moins, ton prince ?

— Je ne le sais pas. J'attends qu'il soit dégrisé pour lui apprendre la nouvelle !

Une femme autoritaite à son mari :

— Va donc porter cette lettre-là à la poste.

— Mais il pleut à verse ! C'est pas un temps à mettre un chien dehors.

— Je te défends bien d'emmener le chien !

Un couple est en train de faire l'amour. La femme demande à son mari :

— Comment ça se fait que ça te prend autant de temps ?

— J'arrive pas à penser à personne d'autre.

Une vieille fille s'est installée à la campagne. Son frère vient lui rendre visite et il voit dans le poulailler qu'il y a dix coqs pour une poule. Il lui demande :

— Pourquoi dix coqs pour une poule ?

La vieille fille lui répond :

— Parce que moi, je sais trop ce que c'est que d'attendre.

Un niaiseux est allé à la pêche sur la glace. Il a pogné un morceau de 150 livres, il l'a fait cuire puis il est mort noyé.

Le policier qui vient d'arrêter un voleur lui demande pourquoi il a dévalisé le même magasin trois nuits de suite.

— Ben, la première fois j'avais pris une robe pour ma femme, puis les autres fois, je suis allé l'échanger !

En pleine nuit, un pauvre quêteux va frapper à la porte d'une auberge qui s'appelle *Georges et le Dragon*. Une femme vient ouvrir et lui demande ce qu'il veut.

— J'ai pas mangé depuis trois jours...

— Pas de quêteux ici. Sacrez-moi le camp !

Puis la femme lui claque la porte au nez.

Peu après, le quêteux frappe de nouveau. La femme ouvre et l'homme lui dit :

— Là, j'aimerais ça parler à Georges.

Un mari et une femme fêtent leur 25e anniversaire de mariage. Le mari regarde sa femme et se dit :

— Si je l'avais tuée après cinq ans de mariage et que j'avais fait vingt ans de prison, ce soir, je serais libre !

Une femme malheureuse et une femme jalouse prennent le thé avec des amis. La maîtresse de maison propose un peu de lait.

— Une larme, dit la malheureuse.

— Un soupçon, répond la jalouse.

Un méchant gangster dit à son fils :

— Monte sur le bord de la fenêtre et penche-toi en avant, je te tiens par la ceinture. L'enfant se penche et tombe.

Quand il sort de l'hôpital deux semaines plus tard, le père lui dit :

— J'espère que tu vas te souvenir que dans la vie, il ne faut faire confiance à personne, même pas à son père.

Un petit garçon dit à sa maman :

— Je pense que nos nouveaux voisins sont très pauvres.

— Pourquoi tu dis ça ?

— Parce que leur petite fille vient d'avaler un 25 sous puis ils sont tous en train de crier !

Un missionnaire arrive dans une île et un petit garçon lui dit :

— Bonjour, monsieur.

Le missionnaire lui dit :

— Appelle-moi « mon père ».

— Oh ! c'est maman qui va être contente ! Ça fait des années qu'elle vous cherche.

Un petit garçon de 8 ans qui veut imiter son grand frère dans tout, l'entend dire à l'un de ses amis :

— Hier, j'ai pris une fille sur ma bicyclette. Je l'ai amenée dans le bois et quand j'ai voulu l'embrasser, elle n'a pas voulu. Je lui ai dit :

— Tu ne veux pas, tu vas revenir à pied.

Le lendemain, le petit garçon amène à son tour à bicyclette une fille dans le même bois. Il lui dit :

— Veux-tu m'embrasser ?

— Oui, j'aimerais ça !

— O.K., prends le bicycle, moi je vais revenir à pied !

Un petit garçon entre au cirque et rencontre un ami de ses parents.

— Tu es chanceux, tu vas voir le cirque.

— Ben oui, j'ai le billet de mon frère.

— Où est-ce qu'il est, ton frère ? Il est malade ?

— Non, il cherche son billet.

C'est un monsieur qui va voir le docteur et lui dit :

— Docteur, je voudrais changer de sexe.

Le docteur lui répond :

— Écoutez ! C'est grave... c'est un changement qui va influencer le reste de votre vie. Avez-vous bien réfléchi ? C'est important. Êtes-vous sûr ?

— J'en suis sûr, je veux changer de sexe. J'en veux un plus long et plus dur.

Vous savez pourquoi les coqs n'ont pas de mains ? C'est parce que les poules n'ont pas de seins !

Un gars va à confesse. Il dit au bon père :

— Mon père, je m'accuse d'avoir enfreint l'un des commandements de Dieu !

Le curé lui demande :

— Lequel, mon fils ?

— Je ne sais pas exactement lequel, mais c'est celui qui dit : « Œuvre de chair ne désirera qu'en mariage seulement. »

Le curé répond :

— Ça veut dire que vous avez fait l'amour sans être marié.

— Oui.

— Combien de fois ?

— Écoutez, monsieur le curé, je suis ici pour m'humilier, pas pour me vanter !

Un homme va voir le docteur et lui dit :

— Docteur, j'ai les dents jaunes. J'ai tout essayé et je ne sais plus quoi faire. Qu'est-ce que vous me conseillez ?

— Portez des cravates brunes !

Ce sont deux amis qui se rencontrent. L'un demande à l'autre :

— Comment va ta femme ?

L'autre lui répond :

— C'est dur à dire. Il y a trois mois, je lui ai dit un mot désagéable et depuis ce temps-là, elle ne me parle plus.

L'autre lui dit :

— Ah oui ? Et qu'est-ce que c'était ce mot-là ?

Un grand-père se plaint à son petit-fils.

— Il n'y a rien de pire que d'être vieux et plié.

Le petit fils répond :

— Oui, mais il y a quelque chose de pire : être jeune puis cassé.

En visitant une foire scientifique où l'on peut admirer des instruments astronomiques, une femme s'arrête devant un microscope et elle demande :

— Qu'est-ce que c'est ?

On lui répond :

— C'est un microscope.

— À quoi ça sert ?

— Ça permet de faire grossir les objets.

— Je comprends maintenant pourquoi mon mari me dit que j'ai des mains microscopiques.

Deux petits garçons se parlent :
— T'as quel âge ?
— Cinq ans, et toi ?
— Je sais pas.
— T'intéresses-tu aux filles ?
— Non.
— Ben, t'as juste 4 ans.

Au zoo, un gardien s'avance vers un petit garçon et lui crie :
— Approche-toi pas comme ça de la cage du lion !
Le petit garçon lui répond :
— Je te le mangerai pas, ton lion.

— Connais-tu la différence entre un taxi et un autobus ?
— Non.
— Dans ce cas-là, on va prendre l'autobus !

Jean est d'un optimisme à toute épreuve. Il dit toujours que « ça aurait pu être pire ». Un jour, son ami Paul essaie de le prendre en défaut et lui lance :
— Hier, Ernest est rentré chez lui et il a trouvé sa femme couchée avec un autre gars. Il les a tués tous les deux !

— Ça aurait pu être pire. Si ça avait été avant-hier, c'est moi qui aurais été couché avec sa femme !

Dans la brousse, un gros gorille vient de s'enfuir avec la femme d'un explorateur. Les autres explorateurs essaient de réconforter le malheureux qui murmure :

— J'ai vraiment pas de chance. Il paraît que les gorilles de cette race-là les ramènent toujours le lendemain.

Un père décide d'envoyer son fils dans l'aviation pour compléter son éducation. Il est persuadé que l'aviation, surtout le parachutisme, apporte une solide formation, l'esprit de décision et le courage.

Après six semaines de formation, le père retrouve son fils et lui demande comment ça s'est passé. Le fils répond :

— Ça été une expérience formidable ! Le premier saut en parachute, je m'en rappellerai toute ma vie. On était à 5000 pieds d'altitude. Je me tenais de chaque côté de la porte, prêt à sauter mais j'étais figé, incapable de faire le saut. L'instructeur était derrière moi : un gars de 6' 2", 185 livres. Il m'a crié : « Saute ! » J'étais incapable. Il a répété : « Saute ! » Encore là, j'ai pas bougé. Il a répété à nouveau : « Saute ! Sans ça, je te viole. »

Le père :

— As-tu sauté finalement ?

Le fils :

— Un peu, au début.

Un homme accoste une femme, lui dit qu'il est libre et qu'il met sa soirée à sa disposition.

— Vous n'avez vraiment rien à faire ? Accepteriez-vous de passer deux heures chez moi ?

— Bien sûr.

— Alors venez, j'habite juste en face.

Le jeune homme, tout content, la suit. Quand ils arrivent devant la porte, elle sonne et un homme lui ouvre. Elle lui dit :

— Chéri, il y a ici un gentil monsieur qui ne savait pas quoi faire de sa soirée et qui accepte de garder le bébé pendant qu'on va au cinéma !

Le jeune homme, tout inquiet, demande à la jeune fille, après avoir fait l'amour :

— Est-ce que je suis vraiment le premier ?

— Mais oui, mon amour... Vous êtes énervants, vous les hommes, à poser toujours la même question.

Un touriste américain demande au passeur de lui faire traverser le lac de Tibériade.

— C'est 200 $, dit le passeur.

— Êtes-vous fou ? C'est trop cher !

— Mais c'est ici que Jésus a marché sur les eaux !

— C'est pas surprenant. Quand il a vu vos prix, il a préféré traverser à pied.

Quand Jésus a marché sur les eaux du lac de Tibériade, il a crié à ses apôtres de le suivre. Tous l'ont suivi, sauf Thomas qui avait peur de se noyer. Jésus a tellement insisté que Thomas s'est décidé d'y aller puis a coulé jusqu'au cou. Il a dit à Jésus :

— Jésus, je t'ai écouté et maintenant je vais me noyer.

À ce moment-là, on entend Jean crier :

— Sois pas ridicule, Thomas. Fais comme nous, marche sur les roches !

Un plombier, très bel homme, a fait des travaux chez une dame. Quand elle reçoit la facture, elle crie :

— Oh ! quatre heures... Il m'a tout compté !

Un docteur examine une femme agonisante et demande au mari :

— Il y a longtemps qu'elle râle comme ça ?

— Depuis qu'on est mariés !

Le juge demande à l'accusé :

— Je ne vous ai pas déjà vu quelque part ?

— Oui, Votre Seigneurie. J'ai donné des leçons de piano à votre fille pendant cinq ans.

— Ah ! C'est toi, mon animal ! Six mois de prison !

Un barbier demande au client sur sa chaise :

— Est-ce que vous avez mangé de la sauce tomates aujourd'hui ?

— Non, pourquoi ?

— Alors, je viens de vous couper à la gorge.

Une femme qui louche beaucoup bouscule un homme qui marche sur le trottoir. Elle lui dit :

— Vous ne pouvez pas regarder où vous marchez ?

Il lui répond :

— Et vous ? Vous ne pouvez pas marcher où vous regardez !

Un père qui demande à sa fille :

— Qu'est-ce qui t'arrive ? D'habitude, tu parles quatre heures au téléphone et là, t'as parlé juste une demi-heure.

— C'était un mauvais numéro !

Un mari arrive chez lui le soir et sa femme lui dit :

— Oh, mon chéri, j'ai brûlé ton pantalon d'habit préféré avec mon fer à repasser.

— Énerve-toi pas avec ça, tu sais que j'ai un deuxième pantalon avec cet habit-là.

— Oui, heureusement ! Je m'en suis servi pour réparer le trou !

Les parents sont bizarres. Au début, ils veulent qu'on marche et qu'on parle. Plus tard, ils veulent qu'on s'assoit et qu'on se la ferme !

Les enfants sont héréditaires. Si vos parents n'en ont pas eus, vous n'en aurez pas, vous autres non plus.

Mon fils ne vient jamais quand on l'appelle. Il va probablement devenir serveur de restaurant.

À la plage, une fille raconte à sa mère :
— Tu sais que papa est un héros : il a sauvé une belle dame de la noyade en lui faisant le bouche-à-bouche.
— Ça lui a pris longtemps ?
— Oui, une bonne demi-heure. À chaque fois qu'il reprenait son souffle, elle cherchait à se sauver !

L'épais creuse un trou pour faire de la pêche sur glace. Il entend une grosse voix lui dire :
— Il n'y a pas de poissons ici.
Il décide d'aller plus loin et commence à faire un deuxième trou. La même voix lui répète :
— Il n'y a pas de poissons là non plus !
— Est-ce que c'est vous, mon Dieu ?
— Non, c'est pas le bon Dieu. Je suis le gérant de l'aréna !

La femme à sa servante :
— Mais, Josette, vous êtes enceinte !
— Oui, mais vous aussi, madame.
— Oui, mais moi, c'est de mon mari.
— Mais moi aussi, madame.

Un couple est très en retard pour se rendre au théâtre et le mari hurle à sa femme de se dépêcher. Elle lui demande :

— Est-ce que mon chapeau est droit ?

— Oui, oui, très droit. On part ?

— Non, je retourne dans la chambre. Ce chapeau-là, il faut le porter de côté !

Une très belle jeune fille était très pauvre. Elle tirait le diable par la queue. Puis elle s'est dit :

— Pourquoi le diable ?

Alors elle est devenue très riche !

Le mari apporte deux aspirines à sa femme qui vient de se coucher. Elle lui répond :

— Non, j'ai pas mal à la tête.

— C'est tout ce que je voulais savoir.

À l'école, le professeur demande au petit Jean :

— Ton père achète deux caisses de bière, l'une à 24 $, l'autre à 26,50 $. Ça lui fait combien ?

— À peu près deux jours !

Deux amis se rencontrent. Le premier dit à l'autre :

— Depuis trois semaines, ma femme suit un régime. Elle ne mange que des bananes et des noix de coco.

— Est-ce qu'elle maigrit ?

— Non, mais tu devrais la voir grimper aux arbres !

Dans un grand restaurant, un client exige, à la fin de son repas, de voir le gérant. Le gérant se présente, assez inquiet, et lui demande si tout était à son entière satisfaction. Le client lui répond :

— Votre chef, ça doit être un homme très propre.

— Oui, en effet. Mais comment le savez-vous ? Vous n'avez pas visité la cuisine.

— Facile : tout ce que j'ai mangé goûtait le savon.

L'auto d'un couple tombe en panne sèche sur une petite route de campagne. Il est très tard, il fait noir et tout est désert alentour. Le mari décide d'aller chercher du secours et sa femme lui crie :

— Ne me laisse pas seule ici, j'ai peur de me faire violer !

Son mari lui répond :

— Si un homme vient pour te violer, tu n'as qu'à lui dire qu'on se rendait à la clinique pour une maladie vénérienne.

Une femme témoigne en cour. Elle raconte comment un homme l'a sauvagement violée alors qu'elle était debout dans une ruelle.

Le juge, sceptique, lui demande :

— Mais, madame, cet homme est beaucoup plus court que vous. Comment a-t-il fait pour vous violer alors que vous étiez debout ?

— Eh bien, monsieur le juge, je m'étais baissée un peu...

Un couple faisait chambre à part. Un soir, l'homme est réveillé en sursaut par les cris de sa femme. Il se lève et entre dans la chambre de sa femme, juste à temps pour voir une silhouette masculine sortir rapidement par la fenêtre. Sa femme lui dit :

— Cet homme m'a agressée deux fois.

— Mais pourquoi tu ne m'as pas appelé dès la première fois ?

— Je pensais que c'était toi... jusqu'à ce que tu me demandes de recommencer.

Un homme va chez le médecin. Après un examen en profondeur, le médecin lui apprend qu'il ne lui reste pas plus d'une nuit à vivre.

Découragé, l'homme retourne chez lui et fait l'amour à sa femme pendant deux heures. Ensuite, ils s'endorment. Lui se réveille à 2 heures du matin et il recommence. À 4 heures du matin, il réveille encore une fois sa femme et recommence. À 5 heures, il pousse sa femme pour faire encore l'amour. Elle lui répond furieuse :

— Laisse-moi tranquille, fatigant ! Toi ça va bien, tu n'as pas besoin de te lever demain matin !

Un homme entre dans une pharmacie pour acheter des condoms. Comme il ne savait pas quelle grandeur il lui fallait, la pharmacienne l'invite à la suivre à l'arrière-boutique pour prendre les mesures. Elle prend le sexe du client dans sa main et dit à sa vendeuse :

— Apporte des « small »... Non, des « medium »...
Non, apporte des « large ». Trop tard ! Apporte la moppe.

Un homme dit à son avocat :

— La vie que je mène à la maison est insupportable,
je veux divorcer.

— Qu'est-ce qui se passe ?

— Chaque soir quand j'arrive à la maison, je trouve
un homme différent dans ma garde-robe.

— C'est horrible !

— Je comprends. Je n'ai même plus de place pour
accrocher mon veston !

Un curé dit au mari d'une paroissienne :

— À la messe dimanche passé, votre pauvre femme
toussait tellement et tout le monde la regardait. Elle
est malade ?

— Non, monsieur le curé. Elle étrennait un nouveau
chapeau !

Juste avant de sauter pour la première fois, un parachutiste se rappelle les trois étapes :

1. sauter ;

2. tirer la corde du parachute dorsal (s'il ne s'ouvre pas, tirer la corde du parachute ventral) ;

3. se rappeler qu'un camion l'attend en bas.

Finalement, il saute. Il tire sur la corde du parachute dorsal, mais celui-ci ne s'ouvre pas. Il tire sur la corde du parachute ventral... qui ne s'ouvre pas non plus. Alors il se dit :

— Chanceux comme je suis, je te gage que le camion ne sera même pas là.

— Quelles sont les lettres...

les plus énervantes ?

— NRV.

les plus remuantes ?

— AJT.

les plus courbées ?

— ABC.

les plus hautes ?
— LV.
les plus respectables ?
— AG.
les moins religieuses ?
— AT.
qu'on lit moins bien ?
— FAC.
dont on ne peut se servir ?
— KC.
qu'on emploie pour donner ?
— CD.
qu'on emploie pour mourir ?
— DCD.
qu'on emploie dans les commandements ?
— OBIC.
qu'on déteste ?
— AI.
qui contribuent à une bonne santé ?
— IJN.

Un homme qui a mal à la tête va à la pharmacie et achète une bouteille d'aspirines. Au bout de quelques minutes, il est rattrapé par le pharmacien tout essouflé, qui lui dit :

— Je me suis trompé. Je ne vous ai pas donné de l'aspirine, je vous ai donné de l'arsenic !

— Ah ! Et alors ?

— C'est 1,50 $ de plus !

Un quartier neuf, c'est un endroit où l'on a coupé tous les arbres pour faire des rues... auxquelles on donne des noms d'arbres.

Deux amis se rencontrent dans la rue et commencent à discuter. Au bout de quelques minutes, le premier regarde sa montre et dit à l'autre :

— Excuse-moi, mon cher, mais il faut que je parte. La bonne s'est absentée et ma femme est toute seule à la maison. Il faut que j'y aille.

— Ah, mon Dieu ! Tu me fais penser que moi aussi, il faut que j'y aille au plus vite ! Ma femme s'est absentée et la bonne est toute seule à la maison !

L'animal le plus charitable, c'est le porc. Pourquoi ? Parce qu'il apprend à aimer aux truies !

Deux paroissiens :

— C'est effrayant comment monsieur Caron ronflait durant le sermon dimanche dernier.

— Tu peux le dire. Il nous a tous réveillés !

Une femme explique à une de ses amies :

— La semaine passée, je me suis fait violer par un niaiseux.

— Comment ça, un niaiseux ?

— Il était tellement niaiseux qu'il a fallu que je l'aide !

Une femme au boucher :
— Combien vendez-vous votre bœuf haché ?
— Quatre dollars cinquante la livre.
— Comment ça, 4,50 $ la livre ! Le boucher d'en face le vend à 3,75 $ la livre.
— Pourquoi vous n'allez pas le chercher là ?
— Il n'en a pas en ce moment.
— Moi, quand je n'en ai pas, je le vends 3,25 $ la livre.

Demander l'âge d'une femme, c'est comme acheter une voiture usagée. On sait que le compteur a été reculé mais on ne sait pas de combien.

Une jeune fille à son nouveau copain :
— Papa était très content d'apprendre que tu es poète.
— Ah oui ? Je suis bien content.
— Oui, mon dernier chum, qu'il a voulu sacrer dehors, était boxeur !

Deux amis se retrouvent après des années :
— Qu'est-ce que tu fais maintenant ?
— Je gagne ma vie en écrivant.
— Ah oui ? Pour quel journal ? *La Presse, Le Devoir* ?
— Non, j'écris deux fois par mois à mon père qui habite Westmount pour lui dire de m'envoyer de l'argent !

Une femme se plaint à son mari parce qu'il rentre très tard tous les soirs :

— Tu ne t'occupes plus de moi. Le jour de notre mariage, tu avais promis que tu m'aimerais toute ta vie.

— Je pensais jamais que je vivrais aussi longtemps !

— Mon Dieu, Ginette ! Tu ne m'avais jamais embrassé avec autant de passion ! Est-ce que c'est parce que j'ai éteint la lumière ?

— Non, c'est parce que c'est pas Ginette, c'est Georgette !

Gaston vient de se fiancer. Il rencontre son meilleur ami dans un restaurant et lui montre une photo de sa future. Il lui demande ce qu'il en pense.

— Elle doit être très riche.

Le bûcheron arrive très en colère chez le quincaillier qui lui a vendu une tronçonneuse à essence la veille :

— Vous m'aviez dit qu'avec ça, je pourrais couper 50 arbres par jour. J'en ai coupé seulement 27 !

— Ah, c'est peut-être à cause du moteur.

— Quoi ! Y a un moteur là-dedans ?

Un homme arrive tout essoufflé au poste de police en criant :

— Ma femme a disparu ! Elle est disparue depuis

hier. Elle mesure 4' 3". Elle a les pattes croches, elle louche puis elle a les cheveux comme de la corde de poche.

Le policier lui répond :

— Vous êtes chanceux, on l'a pas retrouvée !

— Prête-moi donc 50 $ jusqu'à la paie !

— Jusqu'à la paie ? Et c'est quand la paie ?

— Je le sais pas, c'est toi qui travailles !

Comment on appelle soixante Blancs qui courent après un Noir ? Un tournoi de la P. G. A.

On peut lire l'annonce suivante à la porte d'une boucherie :

« SI VOUS AVEZ PERDU DIMANCHE AUX COURSES,

VENGEZ-VOUS LE LUNDI.

MANGEZ DU CHEVAL ! »

Comment appelle-t-on un policier qui pèse deux fois plus que ses collègues ? Un agent double.

Un homme très pingre courtise une jolie jeune femme. Il lui demande :

— Est-ce que je peux vous offrir un petit rafraîchissement ?

— Oh, oui !

Il va ouvrir la fenêtre et lui dit :
— Et voilà !

Un homme un peu inquiet dit à sa femme :
— Ça fait des semaines qu'en faisant mon jogging, un gars court à côté de moi et me crie : « Cocu, cocu ! »
Sa femme lui dit :
— Voyons, tu ne vas pas accorder de l'importance aux niaiseries d'un gars que tu ne connais même pas. Occupe-toi pas de lui.
Rassuré, le mari retourne le lendemain faire son jogging. Le même gars vient courir à côté de lui et lui crie : « Cocu, cocu ! Puis grande gueule à part de ça ! »

La femme demande à son mari la différence entre l'impôt direct et l'impôt indirect. Il lui répond avec un sourire en coin :
— L'impôt direct, c'est quand tu me demandes de l'argent. L'impôt indirect, c'est quand tu prends de l'argent dans mes poches et que tu penses que je ne m'en rends pas compte !

Pendant la nuit, les hommes se lèvent plus souvent que les femmes :
5 % pour fouiller dans le réfrigérateur ;
10 % pour aller aux toilettes ;
85 % pour rentrer chez eux.

Une femme arrive chez le médecin les deux oreilles brûlées. Le médecin trouve cela très étrange et demande à la femme comment c'est arrivé.

— J'étais en train de repasser et le téléphone a sonné. J'étais distraite ; au lieu de prendre le téléphone, j'ai pris le fer à repasser et je me suis brûlé l'oreille droite.

— D'accord, mais pour l'autre oreille ?

— Ah, l'oreille gauche ? C'est quand j'ai voulu appeler l'ambulance !

Une hippie téléphone à son ami :

— Allô ! Est-ce que Daniel est là ?

— Oui, un instant, il est dans son bain.

— Oh, pardon ! Je me suis trompée de numéro !

Si on faisait gérer le Sahara par notre gouvernement, dans cinq ans il faudrait qu'ils achètent du sable ailleurs !

Savez-vous quel animal peut changer de sexe plusieurs fois dans sa vie ? Le morpion !

L'âge ingrat pour une fille, c'est quand elle est trop grande pour compter sur ses doigts et trop petite pour compter sur ses jambes.

Un enfant naît dans une clinique et l'infirmière dit à la mère :

— Oh, qu'il est beau ! Il ressemble beaucoup à son père.

La dame répond :

— J'espère que mon mari ne s'en apercevra pas !

Le commandant de bord dit aux passagers de l'avion :

— Mesdames et messieurs, au nom de tout l'équipage, je vous souhaite la bienvenue à bord et un très bon vol.

Mais il oublie de fermer son micro et il dit :

— Bon, maintenant je vais me taper un bon scotch et après, je vais baiser l'hôtesse !

L'hôtesse entend ça et court vers la cabine pour prévenir le pilote, un gars l'attrape au passage et lui dit :

— Courez pas ! Il veut boire un scotch d'abord !

Quelle est la différence entre un pingouin et un ramoneur de cheminée ? Le pingouin a le corps blanc et la queue noire, et le ramoneur... a une échelle sur le dos.

Un gars est couché avec sa maîtresse. À un moment, ils entendent le bruit d'une clé dans la serrure. La femme dit :

— Aïe, mon mari !

Elle regarde son amant et lui dit :

— Là, c'est le moment de prouver que tu es un homme !

— Comment ? À lui aussi ?

Roger va pour la première fois à la station de ski de Chamonix en France. Il voit marqué sur un panneau : « CHAMONIX, 20 CM - MOLLE ». Il sort son stylo et écrit : « ROGER, 23 CM - DURE ».

Deux chirurgiens se croisent dans un couloir de l'hôpital. Le premier dit :

— Alors cette opération ? Ça s'est bien passé ?

— Hein ? L'opération... ? Je pensais que c'était une autopsie !

Deux vieux sont assis sur un banc de parc. Le premier dit à l'autre :

— Tu as laissé ta braguette ouverte.

— J'ai fait exprès !

— Pourquoi ?

— Hier, j'ai laissé le col de ma chemise ouverte et ce matin, j'avais le cou tout raide !

Un homme entre chez lui et trouve sa femme au lit avec son meilleur ami :

— Qu'est-ce que tu fais là ?

— La même chose que toi !

Et la femme répond :

— Tu vois que c'est pas grave !

Une femme reçoit un téléphone obscène :

— Si vous devinez ce que je tiens dans ma main, je vous la donne.

— Si vous pouvez la tenir dans une seule main, ça m'intéresse pas !

Deux gars se retrouvent :

— Ça fait six mois que je t'ai pas vu. Qu'est-ce que tu as fait tout ce temps-là ?

— C'est ça que j'ai fait : six mois !

Un policier arrête une voiture avec un couple et un jeune enfant. Le policier dit au père qui conduisait :

— Vous êtes en état d'ébriété. Soufflez dans le ballon !

Il souffle et le ballon indique trois fois le taux d'alcool permis. Le policier lui dit :

— Je vous arrête pour conduite avec facultés affaiblies.

Le père proteste :

— C'est votre balloune qui marche pas. Faites souffler ma femme, on va voir.

Le policier fait souffler la femme. Le test indique encore la même chose. Le policier dit :

— Vous voyez que ça marche. Elle est aussi saoule que vous !

Le père répond :

— Faites souffler mon fils de 2 ans qui dort sur le banc d'en arrière. Vous allez voir que c'est votre machine qui marche pas.

On réveille le petit, on le fait souffler et l'ivressomètre indique deux fois la limite permise. Le policier dit alors :

— Vous avez raison. C'est pas possible ! Mon appareil est défectueux.

Et le policier s'en va. Le père dit alors à sa femme :

— On as-tu bien fait de donner un double au p'tit avant de partir du club !

Comme dans les contes de fées, la belle princesse se promène dans les bois quand elle voit un loup en train de se noyer. Comme elle ne veut pas que la pauvre bête se noie, elle attrape le loup par la queue et le ramène sur la berge. Là, le loup se transforme en prince charmant. La princesse lui dit :

— Oh ! ça me fait plaisir d'avoir sauvé un aussi beau jeune homme.

Le gars répond :

— Merci. C'est très gentil, mais pourriez-vous me lâcher maintenant !

Un homme voyage en Espagne pour la première fois. Il entre dans un restaurant et il voit sur le menu : *Cojones de toros.* Il demande au serveur ce que c'est. Le serveur lui explique :

— À toutes les semaines, nous avons une corrida. On récupère le vaincu et puis on sert ses... bijoux de famille. Vous allez voir, c'est très copieux.

L'homme commande finalement les précieuses et le plat arrive. C'est énorme et c'est délicieux. C'est tellement bon que la semaine suivante, l'homme revient au même restaurant et commande la même chose. Le plat arrive, mais cette fois-ci, il n'y a dans l'assiette que deux petites boules ridicules. Le client appelle le garçon et lui dit :

— Mais vous voulez rire de moi ! La semaine passée, la portion était pas mal plus grosse !

— Écoutez, c'est pas toujours le toréador qui gagne !

Une vieille femme rentre chez elle à la campagne. Elle porte des gros sacs et a beaucoup de difficulté à marcher. Juste avant d'arriver à sa porte, elle évite de justesse de marcher sur un crapaud. Le crapaud se transforme en fée et la fée a dit à la vieille dame :

— Tu as été bonne pour moi en ne m'écrasant pas, alors je vais réaliser trois vœux pour toi.

— Oh, c'est merveilleux ! J'aimerais que ma vieille maison devienne un château !

Aussitôt, la vieille chaumière devient un magnifique palais.

— Ensuite, j'aimerais redevenir comme à 20 ans.

Aussitôt la vieille femme redevient une belle jeune fille.

— Puis finalement, j'aimerais que mon vieux chat, mon vieux matou, se transforme en prince charmant.

Et le chat devient un beau prince, mais il dit aussitôt à la femme :

— Là, tu vas regretter de m'avoir fait castrer il y a dix ans !

Adam s'ennuie au paradis terrestre. Il demande au bon Dieu s'il ne pourrait pas faire quelque chose pour lui. Le bon Dieu lui dit :

— Je vais te donner une compagne. Elle va être belle, intelligente et spirituelle. Elle va t'obéir et va tout faire pour te rendre heureux.

— Parfait, dit Adam, mais ça va me coûter quoi ?

Le bon Dieu lui répond :

— Ça va te coûter un bras puis une jambe.

Adam répond à son tour :

— C'est beaucoup, ça. Qu'est-ce que je pourrais avoir pour une côte ?

Un prêtre explique aux petits enfants la création du monde. Adam et Eve, le fameux serpent et tout le reste. Un jeune garçon lève la main et dit au curé :

— Mon père dit qu'on descend du singe !

Le prêtre répond :

— Tes histoires de famille ne nous intéressent pas !

Deux femmes jasent :

— Quand il m'a dit qu'il m'aimait, j'en ai été renversée.

— Alors, qu'est-ce qu'il a fait ?

— Il en a profité.

Un petit garçon regarde la photo du voyage de noces de ses parents et demande à son père :

— Papa, pourquoi est-ce que j'y étais pas, moi, à votre voyage de noces ?

— Qui te dit que tu n'y étais pas ?

— Je ne suis pas sur la photo !

— Vois-tu, au départ, tu étais avec moi et au retour tu étais avec ta mère !

ELLE : — Si je meurs, vas-tu te remarier ?

LUI : — Oui.

ELLE : — Vas-tu la laisser habiter notre maison ?

LUI : — Oui.

ELLE : — Vas-tu la laisser prendre mes bâtons de golf ?

LUI : — Non.

ELLE : — Pourquoi ?

LUI : — Parce qu'elle est gauchère.

Le meilleur placement, ça serait d'acheter les gens pour ce qu'ils valent et de les revendre pour ce qu'ils s'estiment être !

Dans un asile, le gardien demande à un patient :

— Est-ce que vous travaillez ?

— Non, je suis fou !

— Mais il y a des fous qui travaillent.

— Je suis fou, mais pas si fou que ça !

Un vieillard est couché sur son lit de mort. Il demande à son petit-fils :

— Qu'est-ce qui sent aussi bon ?

Le petit garçon lui répond que sa mère est en train de faire des sandwichs. Le grand-père lui demande s'il pourrait en avoir un. Le petit garçon va dans la cuisine, revient puis dit au mourant :

— Maman veut pas, c'est pour les funérailles.

Deux vieux discutent dans le salon. Le premier dit à l'autre que le médecin lui a donné des remèdes formidables pour aider la mémoire :

— C'est tout nouveau, ça vient de sortir. Depuis que je prends ça, je me rappelle de tout, j'oublie rien.

L'autre dit :

— C'est formidable ! Comment ça s'appelle ?

Le premier lui demande :

— Comment s'appelle la fleur rouge avec une grande tige ?

L'autre lui répond :

— Tu veux dire une rose ?

Le premier dit :

— C'est ça ! Rose, comment ça s'appelle, mes remèdes pour la mémoire ?

C'est une pauvre femme qui va mourir. Elle appelle son mari :

— Joseph, avant de mourir, il faut que je te dise quelque chose...

— Mais, mon amour, en quarante ans de mariage, tu m'as tout dit, tu n'as plus rien à cacher.

— C'est à propos de nos enfants.

— Quoi, nos enfants ?

— Le petit dernier, André.

— Ça y est ! J'en étais sûr. Tu vas me dire que le petit dernier n'est pas de moi !

— Celui-là, oui, mais c'est le seul !

Le célèbre amiral Nelson était reconnu pour son courage. Quand son vaisseau était attaqué, il disait à son second : « Va me chercher ma chemise rouge. Comme ça, si je suis blessé, on ne verra pas le sang. »

Un jour, il voit arriver un bâteau ennemi deux fois plus gros que le sien, avec de gros canons. Il dit à son second : « Va me chercher mon pantalon brun. »

Un homme est en train de visiter une maison qu'il est sur le point d'acheter. Le vendeur lui vante les mérites de la propriété : la grandeur des pièces, l'ensoleillement, l'espace de rangement, etc. Mais le futur acheteur lui dit :

— Ça, c'est très bien, mais la maison est collée sur la voie ferrée. Quand le train passe, le bruit doit être terrible.

Le vendeur le rassure :

— Oui, évidemment, la première semaine c'est ennuyeux, mais après, on ne l'entend plus.

Le monsieur répond alors :

— Très bien ! J'achète, mais la première semaine, j'irai coucher à l'hôtel !

Savez-vous pourquoi les cannibales ne mangent pas de clowns ? Parce qu'ils goûtent drôle.

Il y a deux sortes de justice : la justice que vous avez avec l'avocat qui connaît bien la loi et la justice que vous avez avec l'avocat qui connaît bien le juge !

Dans un bar, un gars raconte aux gens autour de lui :
— Hier, j'avais pris une couple de verres de trop et je me suis retrouvé dans un party. Vous ne me croirez pas mais la toilette était en cuivre.

Une dame dit :
— Voulez-vous me répéter ça ?

Le gars reprend tranquillement :
— Hier, je suis allé dans un party puis la toilette était en cuivre.

La femme appelle aussitôt son mari et lui dit :
— Albert, on a retrouvé le gars qui a fait pipi dans ton saxophone.

— Messieurs, voici des crudités de mon jardin, dit la bonne du curé à ses invités.

Le bon père la reprend :
— Oh, ma fille, ma fille, vous n'avez pas l'esprit de partage. Il ne faut pas dire de mon jardin, il faut dire de notre jardin.

— Oh, pardon, monsieur le curé.

Puis arrive le rosbif et la bonne dit :
— Voici l'excellent rôti de mon boucher avec les haricots tout frais de mon jardin !

Le curé la reprend encore :

— Il ne faut dire ni mon boucher ni mon jardin. Il faut dire notre boucher et notre jardin. Compris ?

À la fin du dessert, il y a la bonne qui revient.

— Qu'est-ce qu'il y a encore, Marie ?

— Eh bien, monsieur le curé, il y a notre chatte qui est en train de faire ses petits dans notre lit.

Une fille entre dans un sex-shop. C'est sa toute première visite. Le vendeur lui fait faire le tour du propriétaire.

— Bon, alors voilà ! On a ici des trucs absolument formidables. Tenez, vous avez par exemple ce vibromasseur, que je vous conseille. C'est un appareil qui se branche, c'est pour ceux qui n'ont pas de sexe à piles. Donc, il suffit d'avoir du 120 volts chez vous et...

— Et ça s'utilise comment ?

— Eh bien, vous faites exactement comme si vous étiez avec un garçon, sauf que là, c'est électrique, c'est scientifique.

— Ah bon ?

La fille achète la marchandise et s'en va. Elle revient le lendemain :

— Je ne suis pas contente du tout de ce que vous m'avez vendu.

Le vendeur dit :

— Mais je vous ai tout expliqué ! Vous vous en servez de la même manière que si vous étiez avec un garçon.

Elle fait :

— Je le sais bien mais regardez, tous mes plombages ont tombé !

C'est un monsieur qui est malheureux. Il est cocu. Un jour, il dit à son ami :

— Ma femme, c'est comme une invention québécoise.

Surpris, l'autre lui demande :

— Comment ça ?

— Eh bien, c'est moi qui l'ai trouvée et ce sont les autres qui en profitent.

Un petit gars demande à son grand-père : « Raconte-moi comment tu faisais quand tu étais jeune et que tu étais obligé de marcher jusqu'à la télévision pour changer de canal. »

Une femme vient de s'appliquer des produits de beauté qui vont la faire paraître plus jeune. Après avoir fini son traitement miracle, elle demande à son mari :

— Honnêtement, quel âge me donnes-tu ?

Le mari la regarde et lui dit :

— Tu as la peau d'une fille de 25 ans, les cheveux d'une adolescente de 18 ans, la fermeté d'une femme de 30 ans et le teint d'une petite jeune de 20 ans.

La femme lui dit :

— T'es flatteur.

L'homme lui répond :

— Hé mais attends ! Maintenant, il faut que je les additionne.

Une fille se présente chez le médecin.

— Ah, docteur, je ne sais pas ce que j'ai ! Je ne sais vraiment pas ce qui m'arrive. Regardez. Depuis quinze jours, j'ai là, sur les cuisses, deux petites taches vertes.

— Écoutez, c'est curieux. Ça pourrait être une allergie. Faites-moi voir ça.

La fille lui montre les taches vertes. Le docteur réfléchit et dit :

— Dites-moi, votre petit copain, votre fiancé, il n'est pas gitan, par hasard ?

La fille, toute surprise, dit :

— Oui, mais comment avez-vous deviné ?

— Eh bien, vous lui direz que ses boucles d'oreilles ne sont pas en or.

Dans un party, un gars vient de rencontrer une belle fille. Il l'invite à danser, elle accepte, à son plus grand bonheur. Il est déjà tout énervé, il la prend dans ses bras, il la serre très fort contre lui. Ils commencent à danser un « plain collé », très collé. Elle commence à sentir qu'il se passe quelque chose.

Elle lui dit :

— Énervez-vous pas comme ça.

Il lui répond :

— J'y peux rien, c'est l'appel de l'amour.

Elle réplique :

— Je ne sais pas si c'est la pelle, mais le manche, on le sent bien !

C'est un gars qui va voir le docteur et le docteur lui demande :

— Combien vous avez d'enfants ?

— J'en ai dix-huit.

— Dix-huit enfants ! Avec la même ?

— Oui, avec la même, mais pas avec la même femme !

Un monsieur va voir le docteur et lui dit :

— J'ai un très grave problème, docteur. Je suis trop intelligent. Les autres ne me comprennent pas. Je me sens seul tout le temps.

— Écoutez, je vais mesurer votre Q.I.

Le docteur lui fait passer des tests et, effectivement, c'est 250 % de Q.I ! C'est énorme. Alors, il dit :

— Écoutez, je vais vous en enlever un peu.

Il lui branche des électrodes et le gars redescend à 150.

Le docteur dit :

— Et là, ça va ?

— Non, à 150, je suis toujours trop intelligent. Ce n'est pas possible ! Essayez plus bas.

— Écoutez, je vais voir. Cinquante...

Il le descend à 50 %. Le gars se réveille et il dit au docteur :

— Non, non, c'est encore trop ! Enlevez-en encore.

Le docteur est tanné et il le descend à zéro. Il le réveille et lui demande :

— Maintenant, comment vous sentez-vous ?

Le gars lui répond avec un air de bœuf :

— Tes licences puis tes enregistrements.

Ça se passe à la campagne. C'est le père Jean qui a invité le père supérieur à dîner. Le père supérieur arrive et s'aperçoit que le père Jean à une servante de 19 ans. Incroyable, un pétard ! Le père supérieur dit :

— Ma foi, père Jean, on ne doit pas trop s'ennuyer ici pendant les longues soirées d'hiver ! Hein ?

— N'allez pas vous imaginer des choses. C'est la fille d'un paroissien qui m'a été confiée.

— Non, je ne m'imagine rien.

Le père supérieur s'en va et le père Jean s'aperçoit que la louche en argent avec laquelle on a servi la soupe a disparu.

Il se dit :

— Ça doit être une blague du père supérieur ! Il a dû me la prendre pour me taquiner.

Il lui adresse alors la lettre suivante :

« Père supérieur,

Je ne prétends pas que vous ayez volé ma louche. Je ne prétends pas non plus que vous ayez eu l'intention de me la voler, mais vous seriez bien gentil de me la renvoyer, s'il vous plaît. »

Et le père supérieur lui répond :
« *Père Jean,*
Je ne prétends pas que vous couchiez avec votre servante.
Je ne prétends pas non plus que vous ayez l'intention de le faire, mais si vous aviez dormi dans votre lit, vous auriez retrouvé la louche. »

Ça se passe dans le parc Lafontaine. Derrière un arbre, deux gais sont en train de... se faire du plaisir ! À ce moment-là, une voiture de police arrive. Celui qui était devant se sauve pendant que les policiers attrapent celui qui était derrière. Ils lui disent :

— Qu'est-ce que vous faites là ?

— Eh bien, j'étais en train de... j'étais en train de faire pipi.

Le policier lui dit :

— Ah oui ? Comment ça se fait que vous avez une oreille dans chaque main ?

Ce sont deux femmes qui se disputent en prenant le thé. L'une d'elles dit :

— J'ai pas de chance, moi. Mon mari est impuissant à 80 %.

L'autre lui dit :

— Eh bien, tu as quand même de la chance parce que le mien est impuissant à 150 %.

La première lui répond :

— À 150 % ? Ce n'est pas possible !

— Oui, parce qu'en plus, il s'est brûlé la langue.

Le président des États-Unis appelle Jean Chrétien sur la ligne privée. Il lui demande :

— Comment ça va, Jean ?

— Très bien, très bien !

— Ah, j'ai compris ! Vous êtes avec des journalistes. Je vous rappelle plus tard.

Un gars raconte à son ami :

— L'autre jour, j'étais à l'hippodrome de Montréal, sur la piste. À un moment donné, je me suis penché pour attacher le lacet de mon soulier. Au même moment, il y a un jockey qui m'a sauté sur le dos.

Son ami lui demande :

— Qu'est ce que tu as fait ?

L'autre répond :

— J'ai fait mon possible, puis j'ai fini quatrième.

Un après-midi, une maîtresse d'école emmène les élèves de sa classe de première année à l'hippodrome pour leur montrer les courses de chevaux.

Un des élèves veut aller à la toilette. Plutôt que d'accompagner un seul élève, elle décide de les conduire tous ensemble, ce qui lui évite d'être obligée de les emmener trois ou quatre fois dans l'après-midi.

Comme les garçons ne sont pas assez grands pour atteindre l'urinoir, elle les soulève un par un pour les aider.

A un moment donné, elle en soulève un qui semble plus pesant que les autres et aussi... mieux équipé. Elle le regarde et lui dit :

— T'es pas dans la première, toi !

L'autre répond :

— Non, en effet : je suis jockey et je cours dans la cinquième !

C'est un jeune qui passe un examen d'ornithologie. L'examinateur a une caisse devant lui avec des oiseaux empaillés. Il en prend un, laisse dépasser le bout de la queue et demande au jeune homme :

— Pouvez-vous me dire le nom de cet oiseau ?

— Écoutez, monsieur le professeur, c'est très difficile. Je ne peux pas dire le nom d'un oiseau quand je n'en vois que le bout de queue. Montrez-moi le bec, une patte, une aile...

— Vous ne le savez pas ! Bon, j'en prends un autre.

Il prend effectivement un autre oiseau et, comme tantôt, il n'en laisse dépasser que le bout de la queue.

— Celui-là, comment il s'appelle ?

— Écoutez, monsieur le professeur, je ne le sais pas. montrez-moi au moins la tête, je ne sais pas...

— C'est bien malheureux, mais vous venez de manquer votre examen. Comment vous vous appelez ?

Le gars baisse son « zippeur », sort le « moineau » et dit au professeur :

— Devine ! T'es fin, toi !

Dans un grand restaurant, un monsieur bien est assis à une table, mais la braguette de son pantalon est ouverte.

Une dame, assise à une table en face, remarque la

chose. Elle écrit un mot et demande au garçon d'aller le porter au monsieur en question.

Le monsieur lit le mot. C'est écrit :

« *Monsieur,*

J'ai remarqué que la fermeture éclair de votre pantalon était baissée. Je suis probablement la seule à avoir remarqué ce détail et je m'empresse de vous le souligner pour vous éviter des embarras.

P.-S. *Je vous aime.* »

Je connais un gars qui était tellement cocu que lorsqu'il voulait coucher avec sa femme, il fallait qu'il se déguise en voisin.

Ce sont deux messieurs qui se retrouvent dans une toilette. Ils font pipi côte à côte, fraternellement. L'un dit à l'autre :

— Dites donc, vous ! Vous n'habitez pas rue Bloomfield ?

— Oui.

— Vous n'avez pas été circoncis en... [mentionner ici l'année de votre choix] par le rabbin Goldberg ?

— Oui. Comment ça se fait que vous savez ça ?

— Parce qu'il circoncit en biais et que vous êtes en train de pisser sur mes bottines.

C'est un monsieur qui entre dans un restaurant.

À peine à table, il se relève et descend aux toilettes. Quand il revient, il s'approche du patron, lui caresse les joues et lui dit :

— Il est bien, votre restaurant, il est très chic. J'aime son décor, son ambiance... Et puis on mange bien...

Le patron, un peu gêné, lui dit :

— Ah bon, alors vous êtes content ?

— Oui, je suis très content.

— Mais alors est-ce que je peux savoir pourquoi vous me caressez les joues sans arrêt ?

Le client lui répond :

— Parce qu'il n'y a plus de papier dans les toilettes.

C'est une dame qui arrive chez le pharmacien et qui dit :

— Bonjour, monsieur le pharmacien. Je voudrais un savon de toilette à la chlorophylle.

Le pharmacien cherche le savon et dit :

— Madame, je n'en ai plus mais je vais en commander.

— Bon. Eh bien, j'enverrai mon mari le chercher.

— Votre mari ? Mais comment je vais le reconnaître, votre mari ?

— C'est facile. C'est un grand blond qui a une moustache verte.

C'est un gars qui va chez le psychiatre et qui dit :

— Écoutez, docteur. Ma femme ne me parle pas, mes enfants ne me parlent pas, personne ne me parle jamais.

Le docteur dit alors :

— Suivant !

Deux amis entrent dans une taverne avec leurs chiens. Le premier possède un berger allemand et l'autre un chihuahua. Dès qu'ils entrent, le barman leur dit :

— On n'accepte pas les chiens ici. Vous allez être obligés de sortir.

Les deux amis sortent. L'un dit à l'autre :

— On va ailleurs.

L'autre répond :

— Non, ils changent de barman dans dix minutes. On va y retourner, j'ai une bonne idée.

Quinze minutes plus tard, le propriétaire du berger allemand se met des lunettes fumées et entre dans le bar avec son chien. Comme le barman lui dit que les chiens ne sont pas admis, il lui répond que c'est un chien pour aveugle.

Son ami, qui attendait à l'extérieur, décide de faire la même chose. Il se met des lunettes fumées et entre à son tour. Avant même que le barman ne lui dise quelque chose, il déclare :

— Chien pour aveugle !

Le barman s'exclame alors :

— Comment ! Ils vous ont donné un chihuahua comme chien pour aveugle ?

Pensant rapidement, le gars dit :

— Quoi ? Ils m'ont donné un chihuahua ?

Le père et le fils cannibales se promènent dans la forêt et ils voient une belle fille près d'un arbre. Le fils dit au père :

— On l'attrape et on la mange ?

— T'es fou, on la ramène à la maison et on mange ta mère !

Ce sont trois petits garçons qui discutent dans la cour de récréation.

Le premier dit :

— Mon père, lui, il est vite. Il pilote un 747. En six heures, il fait Montréal-Paris.

Le deuxième dit :

— C'est rien, ça. Moi, mon père est astronaute. Il fait le tour de la terre en deux heures et trente minutes.

Le troisième dit :

— Tout ça, c'est rien. Mon père est encore plus vite que ça. Il est fonctionnaire à la ville de Montréal. Il finit à 4 heures et à 2 h 15, il est à la maison !

Un niaiseux raconte à un ami :

— Il m'est arrivé une drôle d'histoire sur l'autoroute des Laurentides. Dans le bout de Sainte-Thérèse, une belle fille faisait du pouce. Je l'ai fait monter. Elle m'a demandé si je pouvais l'emmener à Saint-Jérôme.

— Pas de problème.

Pendant le voyage, j'ai commencé à lui caresser le genoux. Tranquillement, je monte jusqu'à la cuisse. J'arrête et elle me dit :

— Vous pouvez aller plus loin.

— Je l'ai montée jusqu'à Saint-Sauveur.

Une fille va voir le docteur et elle lui dit :

— Docteur, je vais me marier... Le problème, c'est que je ne suis plus vierge ! Si mon futur mari s'en aperçoit, il est capable de ne plus vouloir de moi... Qu'est-ce que je peux faire ?

Le docteur lui dit :

— Je vais vous donner une pommade qui a des facultés de rétrécir. Après un ou deux badigeonnages, ça va être comme avant.

Elle suit le conseil du médecin et le lendemain des noces, c'est son mari qui vient voir le même docteur. Il lui donne un papier et c'est écrit :

« Faites quelque chose, j'peux pus m'ouvrir la gueule. »

Deux gars parlent ensemble. L'un dit à l'autre :

— Hier, j'étais dans un bar et deux voyous m'ont traité de tapette et sont partis.

L'autre dit :

— J'espère que tu les a rattrapés pour leur régler leur compte.

Le premier répond :

— Penses-tu que c'est facile de courir avec des talons hauts ?

Dans un salon de thé, une dame regarde un plateau de pâtisseries qu'un serveur sénégalais lui tend. Elle dit :

— Je vais prendre cet éclair au chocolat.

Le serveur lui dit :

— C'est pas un éclair au chocolat, c'est mon pouce !

Un petit garçon est tombé dans le fleuve Saint-Laurent. Un jeune homme très sportif s'avance, enlève sa veste, plonge et ramène le petit à la rive. Alors, le grand-père, qui attendait sur le bord, dit au jeune homme :

— Dites donc, mon gars. C'est vous qui avez plongé dans l'eau pour sauver mon petit-fils de la noyade, en plein mois de novembre ?

— Oui, c'est moi.

— Qu'est-ce que vous avez fait de sa casquette ?

Dans une taverne, deux gars sont en train de discuter. Le premier dit à l'autre.

— J'ai regardé ça. Sais-tu que si le *Titanic* a coulé, c'est à cause des Juifs ?

L'autre réplique :

— Non, c'est pas du tout la faute des Juifs, c'est la faute d'un iceberg.

L'autre répond :

— Mais c'est bien ça que je dis ! Iceberg, Greenberg, Steinberg... tous des Juifs !

La femme d'un jockey vient de perdre son mari. Elle se rend à la morgue pour identifier son cadavre. Le médecin ouvre un tiroir et lui demande :

— C'est lui ?

— Non, non, c'est pas lui.

Un autre tiroir coulisse.

— C'est lui ?

— Non, c'est pas lui.

— Et là ?

— Non.

Et il ouvre le quatrième tiroir.

— C'est bien lui, ça. Jamais dans les trois premiers.

Un monsieur vient de faire l'amour à sa femme. Il se regarde dans le miroir et s'exclame :

— Si j'avais deux centimètres de plus, je serais le roi !

Et sa femme lui dit :

— Si tu en avais deux en moins, tu serais la reine !

Qu'est-ce que le mariage ? Le mariage, mon gars, c'est pas la mer à boire, c'est la belle-mère à avaler !

— Qu'est-ce qui pèse 500 kilos le matin, 200 kilos le midi et 2 kilos le soir ? C'est un mari. Le matin, sa femme lui dit : « Lève-toi, mon gros bœuf » ; le midi : « Viens manger, mon cochon » ; et le soir : « Viens te coucher, mon lapin. »

Savez-vous pourquoi les célibataires sont maigres, et pourquoi les hommes mariés sont gros ? Simplement parce que quand le célibataire rentre chez lui, il ouvre le frigo, il dit « bof » et il va se coucher. Tandis que quand l'homme marié rentre chez lui, il ouvre la porte de chambre, regarde dans le lit, dit « bof » et va dans la cuisine manger quelque chose !

Un vieux monsieur va voir son curé et lui dit :

— Mon père, la nuit dernière je me suis levé pour aller aux toilettes, j'ai ouvert la porte et la lumière s'est allumée toute seule. Quand j'ai fini, j'ai fermé la porte et la lumière s'est éteinte toute seule. C'est un miracle, n'est-ce pas, mon père ?

— Non, mon fils, vous avez seulement fait pipi dans le frigidaire !

C'est un gars qui rentre chez un joaillier :

— Je voudrais faire un cadeau, explique-t-il. Quelque chose de charmant. Vous comprenez, c'est pour une dame... Alors ?

— Est-ce que c'est pour votre femme, ou voulez-vous quelque chose de plus cher ?

Une femme entre dans le métro. Il n'y a plus de place assise libre. Elle s'approche d'un monsieur et lui dit :

— Vous pourriez pas me laisser votre place ?

— Et pourquoi je vous laisserais ma place ?

— Comment ! Vous ne laisseriez pas votre place à une femme enceinte ?

— Pardon, excusez-moi, j'avais pas vu...

Le monsieur se lève et regarde la femme plus attentivement :

— Ça fait longtemps que vous êtes enceinte ?

— Non, ça fait quinze minutes et j'en ai encore les jambes coupées.

Une femme console son amie :

— Inquiète-toi pas si ton mari court après d'autres femmes. Regarde notre chien. Il court aussi derrière toutes les voitures mais dès qu'il est sur le point d'en attraper une, il ne sait plus quoi faire avec.

Un député va au marché. Il veut acheter des fruits. Il s'arrête devant un étal et le marchand le salue en l'appelant par son nom. Le député se sent flatté.

Le marchand lui dit :

— J'ai vu votre photo dans les journaux, c'est pour ça que je vous ai reconnu. Qu'est-ce que je peux faire pour vous ?

— J'aurais voulu un melon.

— Choisissez !

— Mais il y en a juste deux et, en plus, ils sont pourris. Comment voulez-vous que je choisisse ?

— Eh bien, faites comme nous quand nous allons voter !

Deux hommes dialoguent. L'un dit à l'autre :

— Vous avez maintenant plus de 40 ans. Vous n'avez jamais pensé à vous marier ?

L'autre répond :

— C'est une idée qui ne m'a jamais effleuré. J'ai deux sœurs qui vivent chez moi et qui prennent bien soin de moi.

— Oui, mais elles ne peuvent pas remplacer une épouse à tous les points de vue !

— Pourquoi pas ? Après tout, ce ne sont pas mes sœurs à moi !

Un nouveau garçon de ferme est en train de prendre sa douche. L'eau devient soudainement très, très chaude et il se brûle les organes sexuels. Il hurle de douleur puis court dans l'étable et plonge son sexe dans un bidon de lait pour apaiser la douleur.

La servante entre par hasard dans l'étable au même moment et le regarde avec étonnement.

Le garçon lui dit :

— Dites-moi pas que vous n'avez jamais vu un sexe d'homme.

— Oui, souvent, mais je n'avais encore jamais vu comment on le remplissait !

Une femme interroge sa meilleure amie.

— Et comment était l'hôtel au cours de votre voyage de noces ?

Elle lui répond :

— Merveilleux ! J'ai rarement vu un aussi joli plafond !

Au cinéma, madame regarde avec attention le film. Pendant ce temps-là, son mari reste penché, la tête en dessous du banc. Sa femme lui dit :

— Tu peux regarder le film. Il n'est pas si épeurant que ça !

Le mari répond :

— J'ai pas peur, je cherche mon caramel.

La femme lui dit :

— Laisse faire celui-là et prends-en un autre.

Le bonhomme lui répond :

— Non, c'est celui-là que je veux. Mon dentier est pogné dedans.

Dans une réunion, la conversation s'oriente vers la prostate. Deux bègues semblent très intéressés par le sujet, surtout l'un d'eux qui ignore ce qu'est la prostate. Après bien des hésitations, il s'informe auprès de son ami, qui lui répond :

— C... c... c... c'est des gens qui p... p... p... ppissent comme nous ppparlons.

Il y a beaucoup de bruit au grenier où les enfants jouent.

La mère demande :

— Qu'est-ce que vous faites en haut ?

Les enfants répondent :

— On fait une partouze.

— Ah, très bien, dit la mère, soulagée. J'avais peur que vous ne soyez en train de fumer !

L'institutrice explique la différence entre le singulier et le pluriel. Pour vérifier si les élèves ont bien compris, elle pose quelques questions :

— Si une femme regarde par la fenêtre, on parle d'un... ?

— Singulier, répond une fillette.

— Très bien ! Et si cinq femmes regardent par la fenêtre, c'est un... ?

— Un bordel, madame !

Un homme va trouver son médecin de famille et lui raconte qu'il a surpris son fils forniquant avec la bonne.

Le médecin lui répond en souriant :

— On a tous été jeunes.

— Oui, mais ce n'est pas tout, docteur. Mon fils est atteint d'une maladie vénérienne et moi aussi j'ai des rapports avec la bonne.

Le médecin dit :

— Je comprends votre inquiétude.

— Après, j'ai eu des rapports avec ma femme.

Le médecin s'écrie :

— Ça parle au maudit ! Moi aussi je suis contaminé !

Un patient dit à son psychiatre :

— Docteur, j'arrive pas à me faire des amis. Je ne comprends pas ça. Comprends-tu ça, toi, maudit gros imbécile de cave ?

Une jeune dame aux mœurs légères s'entend faire la proposition suivante par un client :

— Écoute-moi bien, chérie. On monte à ta chambre, on éteint la lumière. Tu ne dis pas un mot et moi non plus. Je le fais aussi souvent que je le veux et demain matin, je te donne 200 $.

Marché conclu. Le couple s'installe dans la chambre, la lumière est éteinte et pas une parole n'est prononcée de la nuit. Mais au matin, la fille ne peut pas s'empêcher de parler.

— J'ai jamais vu ça, t'es jamais satisfait.

— Excusez-moi, lui répond une voix inconnue. Moi, je m'appelle André. La personne que vous cherchez vend des billets d'entrée devant la porte !

Une voix de femme au cinéma :

— Voulez-vous enlever votre main de mon genou ? Non, pas vous, lui !

Un maître nageur est tombé dans l'œil d'une cliente de l'hôtel. Elle s'approche de lui et cherche une excuse pour lui parler. Elle lui demande :

— Est-ce qu'on peut nager sans soutien-gorge ici ?
Le maître nageur répond :

— Non, malheureusement Non, on ne peut pas non plus montrer ses faux seins.

La fille rougit et lui demande :

— Comment savez-vous que j'ai des faux seins ?

— C'est assez simple. Premièrement, ils sont trop gros pour être vrais. Deuxièmement, il y en a un qui est de travers. Troisièmement, le deuxième est tombé derrière vous dans le sable !

Pendant le spectacle d'un chanteur à la mode, un gars assis au premier rang lui lance des tomates. À chaque fois qu'il commence une nouvelle chanson, il lui lance des tomates.

Après la dernière chanson, pendant le salut, le spectateur crie : « Encore, encore ! » Le chanteur n'en revient pas. Il dit au spectateur :

— Toute la soirée, vous m'avez lancé des tomates et vous voulez que je chante encore ? Pourquoi ?

— Parce qu'il me reste des tomates.

Le Premier ministre du Québec fait l'amour avec la reine d'Angleterre par en arrière. Il la prend dans ses bras et dit :

— J'ai l'Angleterre dans mes bras !
Elle lui répond :

— Où penses-tu que j'ai le Québec ?

Trois religieuses arrivent devant saint Pierre. La première dit :

— J'ai prié pour la paix toute ma vie !

— Prends la clé du ciel.

La deuxième dit :

— Moi, j'ai prié pour vous, saint Pierre !

— Prends la clé du purgatoire, mais t'en auras pas pour longtemps.

La troisième dit :

— Moi, j'ai prié pour avoir du fun et j'en ai eu à mon goût, et j'espère que ça va continuer !

— Prends la clé de ma chambre.

Un gars s'est suicidé. Après enquête, on a découvert qu'il avait trente-cinq fractures au crâne. Il s'était pendu avec un élastique.

Un policier arrive au poste et dit au sergent :

— Je me suis fait mordre par un chien !

Le sergent lui répond :

— Hé, les gars ! Vous êtes juste deux dans la voiture, essayez de vous entendre !

Quelle différence y a-t-il entre un chirurgien et un play-boy ? Le chirurgien ampute les jambes ; le play-boy enjambe les putes.

Quel instrument de cuisine une femme apporte-t-elle le plus souvent dans sa chambre ? Une passoire (pas à soir).

Sur l'autoroute, un homme aperçoit dans son rétroviseur les girophares d'une voiture de police. Non seulement il ne s'arrête pas mais en plus, il accélère. Le policier lui fait signe de se tasser et il accélère encore. Le policier actionne sa sirène et, finalement, l'automobiliste s'arrête.

Le policier dit au chauffeur :

— Écoutez, il est 5 heures moins 5 et je finis à 5 heures. Donnez-moi une bonne raison qui justifie votre refus de vous arrêter et je vous laisse partir.

L'automobiliste répond :

— J'en ai une raison, une maudite bonne. Il y a un mois, un policier est parti avec ma femme. Je pensais que c'était lui qui me la ramenait.

Est-ce que vous savez qu'il arrive toujours plus d'accidents après un party plutôt qu'avant ? C'est parce que les hommes prennent un petit coup et qu'ils laissent conduire leurs femmes.

— Pourquoi pleures-tu, ma petite fille ?

— J'arrive de l'église.

— Qu'est-ce que tu as fait à l'église ?

— Je me suis confessée.

— Et le bon père t'a donné une grosse pénitence ?

— Il m'a dit de réciter trois Je vous salue Marie.

— Et puis ?

— J'en connais rien qu'un...

Un monsieur téléphone au médecin et lui dit :

— Docteur, je pense que j'ai pogné une maladie vénérienne.

Le docteur lui répond :

— Prenez un rendez-vous avec ma secrétaire.

Le gars déclare :

— C'est ça que j'ai fait. C'est d'elle que j'ai pogné ça !

— C'est quoi, pour toi, être célèbre ?

— Pour moi, être célèbre, c'est de me promener dans la limousine de Jean Chrétien et de recevoir ses vœux pour la nouvelle année.

— Ah, c'est bien ! Pour moi, la célébrité, c'est d'être reçu chez la reine d'Angleterre. Le téléphone sonnerait et elle continuerait à me parler.

— Moi, ce serait d'être assis dans la papamobile avec le Saint-Père. Son téléphone sonne, il répond et il me dit que c'est pour moi.

Un gars rentre chez lui à l'improviste et trouve un de ses amis couché avec sa femme. Enragé, il dit à son ami :

— Tu vas me payer ça !

L'ami répond :

— C'est déjà fait, j'ai payé ta femme.

— Sais-tu ce qu'il y a de commun entre un bébé et des freins d'auto ?

— Non, je le sais pas.

— Quand les deux crient, c'est le temps de les changer.

On parle de réincarnation. Un gars demande à son ami :

— Si tu avais à revenir dans une autre vie, aimerais-tu mieux revenir en chien, en rat ou en singe ?

L'ami répond :

— En singe.

L'autre lui dit :

— Encore !

— Ça n'a pas de bon sens ! Quand vas-tu te décider à travailler ?

— J'ai juste 30 ans.

— Justement ! Tu pourrais commencer comme apprenti dans la construction.

— Apprenti dans la construction ? Pour quoi faire ?

— Après ça, tu pourrais devenir ouvrier spécialisé.

— Pour quoi faire ?

— Parce qu'après ça, tu pourrais devenir contre-maître.

— Pour quoi faire ?

— Pour devenir ingénieur.

— Pour quoi faire ?

— Parce qu'après ça, tu pourrais devenir directeur des travaux.

— Pour quoi faire, directeur des travaux ?
— Pour regarder les autres travailler.
— Et qu'est-ce que tu penses que je fais, là ?

Un couple âgé est assis au restaurant. La serveuse, qui a apporté les plats quelques minutes auparavant, constate que le monsieur mange et que madame ne mange pas.

La serveuse vient voir la vieille dame et lui demande :
— Est-ce que tout va bien ?
La dame répond :
— Oui.
La serveuse lui demande :
— Est-ce que c'est bien ce que vous aviez commandé ?
La vieille dame répond :
— Oui, et ça a l'air très bon !
La serveuse lui demande encore :
— Mais pourquoi vous ne mangez pas ?
La vieille répond :
— J'attends que mon mari ait fini avec mes dentiers.

— Comment on appelle ça, un gars qui tue son père ?
— Un parricide.
— Qui tue sa mère ?
— Un matricide.
— Et comment on appelle ça un gars qui tue son père et sa mère ?
— Un orphelin.

As-tu vu la bosse que j'ai sur la tête ?

— Oui, comment c'est arrivé ?

J'étais en train de me mettre de l'eau de toilette et le couvert m'est tombé sur la tête.

Entre quels orteils les femmes sont-elles le plus chatouilleuses ? Entre les « deux grosses orteils ».

(L'histoire qui suit se raconte à une femme qui a de petits seins.) Je vais vous raconter une histoire assez effrayante. À ce point que les seins vont vous en tomber... (Puis on la regarde et on s'exclame :)

— Ah ! Il y a quelqu'un qui vous l'a déjà contée !

Deux femmes sont en train de jaser. La première dit à l'autre :

— Mon mari est tellement occupé qu'il emporte des dossiers au lit.

L'autre dit :

— C'est rien. Le mien est tellement occupé que des fois, il est obligé de coucher avec sa secrétaire.

Pour construire une bonne maison, il faut 6 hommes et 1 femme :

4 messieurs Côté ;

1 monsieur Perron ;

1 monsieur Grenier et...

1 femme pour... faire la cave !

— Les hommes intelligents sont éternellement dans le doute, déclare le professeur de philosophie. Il n'y a que les idiots qui sont toujours sûrs de tout.

— Vous êtes certain ?

— Absolument.

Un homme arrive chez lui et trouve sa femme en pleurs. Elle lui dit :

— Je t'avais fait un gâteau mais le chien l'a mangé.

Le mari lui répond :

— Ne pleure pas, je vais t'acheter un autre chien.

Une petite fille est chez sa grand-mère. Elle lui demande :

— C'est quoi un amant ?

La grand-mère sursaute, paniquée, et s'exclame :

— Mon Dieu, j'avais complètement oublié !

Elle se précipite vers une grosse armoire à clé, elle ouvre la porte et... il en tombe un squelette !

Dans un garage, un gars vient faire le plein d'essence. Le garagiste le reconnaît et lui demande :

— C'est ta nouvelle voiture ?

— Ça dépend. Quand je viens de la laver, c'est celle de ma femme ; quand il y a un party, c'est celle de ma fille et quand il y a un match de hockey, c'est celle de mon fils. Mais quand il n'y a plus d'essence, c'est la mienne.

C'est au paradis. Saint Pierre accueille dix femmes qui sont mortes la même journée.

— Que toute femme qui a trompé son mari fasse un pas en avant.

Neuf des dix femmes avancent d'un pas. Saint Pierre se retourne alors vers Dieu et lui demande :

— Et qu'est-ce qu'on en fait, de la sourde ?

Un jeune marié rencontre un ami le lendemain de sa nuit de noces. Comme il avait l'air soucieux, l'ami s'informe et reçoit cette confidence :

— Ce matin, j'ai été repris par mes habitudes de célibataire et avant de partir, j'ai donné 100 $ à ma femme !

— C'est tout ? dit l'ami. Mais ce n'est pas grave, ça !

— Oui, mais ce qui m'inquiète, c'est qu'après, elle m'a remis 50 $!

Un veuf se présente à la pharmacie et demande des condoms noirs. Le pharmacien lui dit :

— Non, mais pourquoi les voulez-vous noirs ?

— Parce que ma femme est morte. Je lui ai promis de porter le deuil jusqu'au bout.

— Dis, papa, c'est quoi la différence entre la richesse et la pauvreté ?

— Vois-tu, la richesse, c'est le caviar, le champagne et les femmes. La pauvreté, c'est les sardines, la bière puis ta mère !

La belle-mère vient de mourir. L'employé des pompes funèbres demande au gendre :

— Voulez-vous la faire embaumer, la faire enterrer ou la faire incinérer ?

Le gendre répond :

— Prenez pas de chance, faites les trois.

C'est l'hiver. Une femme qui vient d'avoir une crevaison demande à un gars de l'aider. Le gars commence à essayer de changer le pneu. Au bout de deux minutes, il a les mains gelées et entre à l'intérieur de la voiture pour se réchauffer les mains. La femme lui dit :

— Pour que ça aille plus vite, mettez-vos mains entre mes cuisses.

Le gars s'exécute en vitesse et, quelques instants plus tard, il retourne dehors essayer encore une fois de changer le pneu. La même chose se produit. Les mains gelées, le gars revient dans l'auto pour se réchauffer. La femme lui refait la même invitation :

— Mettez vos mains entre mes cuisses, ça va les réchauffer plus vite.

Quelques instants plus tard, il ressort faire une troisième tentative, mais revient rapidement à l'intérieur lui demander s'il peut se réchauffer les mains encore une fois. Elle lui dit :

— Oui, avec plaisir. Mais dis donc, toi ! Ça t'arrive jamais d'avoir froid aux oreilles ?

Un vieillard entre dans une pharmacie et demande une boîte de condoms. Le pharmacien lui dit :

— Quel modèle voulez-vous ? On en a des petits, des moyens, des grands, des jaunes, des bleus, des roses, des picotés, des rayés...

Le bonhomme répond :

— La couleur, ça me dérange pas, pourvu qu'il y ait des baleines.

Quelle différence y a-t-il entre une toast brûlée, une femme enceinte et une noyée ? Il n'y en a pas : les trois ont été retirées trop tard.

Une femme promène un bébé dans un carrosse. Elle rencontre une de ses amies. L'amie regarde le bébé et dit :

— Quel beau bébé ! Il a quel âge ?

— Un mois.

— Comment s'appelle-t-il ?

— On ne le sait pas, il ne parle pas encore !

Deux niaiseux vont à la chasse au faisan pour la première fois. Ils ont tout l'équipement nécessaire : les habits kaki, les chiens de chasse, les fusils, les bières, etc.

Ils vont dans les bois et à la fin de la journée, tous les chasseurs ont pris des faisans, sauf nos deux niaiseux. L'un des deux dit à l'autre :

— Je me demande pourquoi on n'a rien capturé ?

— C'est peut-être parce qu'on n'a pas lancé nos chiens assez haut.

Ce sont deux niaiseux en auto. Ils s'engagent dans une côte très à pic. Le premier s'écrie tout d'un coup :

— Attention ! On n'a plus de freins !

— C'est pas grave ! Y a un stop en bas !

Dans une maison de retraite, un vieux demande à une vieille :

— Vous avez quel âge, vous ?

La vieille répond :

— Je ne le sais pas.

Le vieux lui dit :

— Déshabillez-vous toute nue, je vais vous le dire.

La bonne femme s'exécute. Le bonhomme la regarde à son goût et lui dit :

— Vous avez 94 ans.

La vieille lui demande :

— Comment ça se fait que vous savez ça, vous ?

Le vieux répond :

— Vous me l'aviez dit hier.

Deux amis se rencontrent. L'un dit à l'autre :

— Il me semble que tu as engraissé. Tu pèses combien ?

— Cent cinquante livres.

— Pas de blague !

— Avec la blague, 154.

Un gars dit à son ami :

— Il y a deux ans, je suis allé en vacances à la mer, ma femme est tombée enceinte. L'année dernière, je suis allé en vacances à la montagne, ma femme est tombé enceinte. C'est assez ! Cette année, je sais pas où j'irai mais je l'emmène avec moi !

LES AUTRES COLLECTIONS ÉLÆIS

«ACTA FABULA»
THÉÂTRE FRANCOPHONE DU QUÉBEC ET DU CANADA

Réservée avant tout au théâtre francophone du Québec et du Canada, la collection « Acta Fabula » accueillera les pièces de qualité — déjà jouées ou non, pour adultes ou pour jeune public — d'auteurs confirmés, de nouveaux auteurs et de jeunes dramaturges de talent.

« Acta Fabula » n'écartera *a priori* aucun genre théâtral particulier, mais privilégiera les expériences exploratrices et les recherches ou les écritures à la fois fortes, originales, novatrices et prometteuses.

Les essais et les manuels de théâtre, qu'ils soient pratiques ou théoriques, y trouveront également une place de choix.

Occasionnellement, nos lecteurs découvriront dans la collection « Acta Fabula » les traductions de pièces d'auteurs canadiens-anglais.

VOLUMES PARUS EN 1999

François BOULAY, *Québec express.*
Vital GAGNON, *Amstramgram* suivi de *Le Rêve de Véronique.*
Jean HERBIET, *Huit promenades sur les plaines d'Abraham.*
Louise MATTEAU, *Le bonheur, c'est pas bon pour la santé.*
Chantal CADIEUX, *Amies à vie.*
Evelyne DE LA CHENELIÈRE, *Au bout du fil* (Préface de Jean-Pierre Ronfard).
François-Étienne PARÉ, *Les Maudites manches courtes.*
François-Étienne PARÉ, *Seize et (trois fois sept) font seize, j'en ai assez merci.*

« PRESQUE SONGE »
CONTES ET NOUVELLES

Cette collection se veut avant tout le lieu ludique d'une fantaisie gratuite, débridée, pure féerie et fête des mots. Elle ambitionne d'ouvrir grand les portes de l'univers onirique, merveilleux, fantastique... ou surréaliste.

Elle n'invite pas seulement le lecteur au voyage, à la vision du pur possible : elle s'offre à lui comme une véritable auberge espagnole du Rêve où tout est permis, parce que « chacun a le droit de rêver ».

Cette efflorescence sera le pari sublime de nos auteurs plongés dans la vision de l'imaginaire. De la verve fabulatrice et de la puissance incantatoire de ces médiateurs, dépendra en effet la réussite de cette retraite privilégiée du lecteur dans l'au-delà du Songe. Songe ? enfin presque. Presque Songe.

« PETIT MÉNON »
PHILOSOPHIE/MANUELS

La collection « Petit Ménon » est réservée aux manuels de philosophie de niveaux collégial et universitaire.

« MASQUE D'OR »
THÉÂTRE ÉTRANGER

En créant la collection « Masque d'Or », l'Éditeur a voulu ouvrir une fenêtre sur ce qui se fait (ou s'est fait) de mieux à l'étranger dans le domaine théâtral.

« Masque d'Or » sera donc *ici* le lieu d'accueil, de traduction, d'adaptation, d'échange... bref, d'expression et de découverte du théâtre d'*ailleurs*, c'est-à-dire des États-Unis, d'Amérique latine, d'Europe, d'Afrique, d'Asie et d'Australie.

VOLUMES PARUS EN 1999

Royds FUENTES-IMBERT, *L'Oratorio des visions*.
Michel PHILIP, *George et Frédéric ou les Flammes mortes*.
Eric-Henri B. TANDUNDU, *L'Affrontement des Afriques*.

VOLUME PARU EN SEPTEMBRE 2000

Eric-Henri B. TANDUNDU, *Les Promesses de l'aube*.

« FLAMMEROLE »
ROMANS

« Flammerole » est une collection ouverte à toutes les tendances, les tentatives et les tentations du roman littéraire moderne. Il importe donc peu, par exemple, que tel romancier puisse affirmer la toute-puissance de son individualité particulière, au besoin en « bousculant les conventions objectives de la fiction », et qu'au contraire tel autre puisse « décréter la mort de l'écrivain, et peut-être de l'écriture ».

La qualité de la plume, l'intérêt du sujet, le pouvoir d'évocation et la force narrative constitueront seuls les critères de choix.

Ici ou là, il plaira sans doute au lecteur d'entendre un chant et des notes du pays et d'y reconnaître plus ou moins des réalités et des problèmes vécus individuellement ou collectivement par les siens de la société d'*ici* ou... d'*ailleurs* dans la cité universelle. Faute de cette « contemporanéité », l'œuvre le laissera peut-être indifférent.

« ANTHROPOLIS »
Sciences humaines et sociales

Étant donné la diversité et la complexité particulière des domaines spécialisés ordinairement regroupés sous l'appellation de « sciences humaines et sociales », la mission générale propre à l'ensemble de nos ouvrages de politique, de sociologie, de psychologie, d'histoire, d'anthropologie, etc., sera présentée à la page 4 des premiers volumes qui paraîtront et qui seront réunis en sous-collections portant simplement les noms suivants : Anthropolis/Politique, Anthropolis/Sociologie, Anthropolis/Psychologie, Anthropolis/Histoire, Anthropolis/Anthropologie, etc.

« QUESTIONS D'ACTUALITÉ »
Société, politique, culture, économie

La collection « Questions d'actualité » a été conçue pour recevoir les livres traitant des problèmes sociaux, politiques, culturels, économiques, etc., qui préoccupent *hic et nunc* les citoyens, secouent parfois dramatiquement la société et provoquent des débats ou des controverses passionnées.

Sa mission est de comprendre et d'expliquer, de façon plus objective et plus approfondie que les médias, aussi bien les attentes sociétales que les positions ou les arguments des protagonistes habituels des grandes questions d'intérêt public : les politiciens, les intellectuels, les gouvernements, les entreprises, les syndicats, les écoles et les universités, les confessions, les ordres religieux, les communautés culturelles, les minorités, les associations et groupes de pression divers.

« PROTAGORAS »
Philosophie/Essais

Destinée notamment aux réflexions suscitées par les grands problèmes philosophiques, sociaux, politiques, scientifiques, éthiques, bioéthiques, biotechniques, environnementaux, etc., de nos sociétés modernes, la collection « Protagoras » se définit avant tout comme un agora ou lieu des débats d'actualité.

« LANGUES ET VOIX DU MONDE »
LINGUISTIQUE
dirigée par Justin Banza B., Ph.D.

Cette collection accueille aussi bien les livres de référence (dictionnaires, grammaires, manuels d'apprentissage, etc.) que les essais théoriques sur les langues et le langage.

En collaboration étroite avec des linguistes engagés, elle fait une place à part aux grandes et aux petites langues du Tiers-Monde.

La mission ainsi définie procède bien entendu d'une stratégie de défense, de préservation et de promotion à tout prix des langues du Sud.

À PARAÎTRE EN 2001

Bisikisi TANDUNDU (E.-H.), *Grammaire du kikongo ya leta.*

À PARAÎTRE EN 2002

Bisikisi TANDUNDU (Eric-Henri), *Dictionnaire du kikongo ya leta,* 2002.

« LIGNES DE FRONT »
COMBATS SOCIAUX, POLITIQUES ET CULTURELS

Parce que la liberté de l'homme est sans cesse menacée — d'abord par les pouvoirs coercitifs de ceux que leurs idéologies rendent inaptes à résister à la tentation totalitaire — et parce que sa libération progressive requiert une veille jamais en défaut, toujours vigilante, exigeante et lucide, la collection « Lignes de Front » a pour ordre de mission de n'accueillir que des *textes de combat* : textes réveilleurs de la conscience et de l'engagement politique des opprimés, textes appelant à la résistance et militant autant pour leur dignité que pour leur épanouissement général. En ce sens, la collection « Lignes de Front » lutte pour un humanisme intégral, donc véritablement universel.

VOLUME PARU EN JANVIER 2000

ASSALD, *Léon Gontran Damas : un homme, un nègre en quête de l'universel.* Actes du Colloque international de Cayenne (novembre 1998).

« SIGNES, PRAXIS ET ARGUMENTS »

ARTS VIVANTS ET ESTHÉTIQUES

La collection « Signes, Praxis et Arguments » est destinée aux essais théoriques et/ou pratiques ainsi qu'aux témoignages d'expériences portant sur la littérature, le théâtre, la musique, la danse, le cinéma, la peinture, la photographie, la scupture et l'architecture. Réservée en priorité aux artistes et aux théoriciens (qu'ils soient ou non universitaires), « Signes, Praxis et Arguments » s'adresse, selon la nature du livre paru, à un large public populaire, ou à un cercle plus étroit d'hommes et de femmes cultivés.

À PARAÎTRE EN 2001

Dujka SMOJE, *L'Authenticité dans tous ses états. Une quête des musiciens.*

Correction d'épreuves : Eric BISIKISI, Christine MARCOTTE, Alberte CÔTÉ. *Mise en page :* Henri H. FAUSTIN *(texte),* Myriam HOSSAIN et Éric Néron *(images). Couverture :* Henri Hilaire FAUSTIN et Mairym DEBARIUS *(conception)* ; *réalisation :* Éric NÉRON. *Illustrations :* Béatrice FAVEREAU. *Impression et reliure :* AGMV Marquis imprimeur inc. Cap-Saint-Ignace (Québec). Achevé d'imprimer en novembre deux mille. Imprimé au Canada.

MEMBRE DU GROUPE SCABRINI

Québec, Canada
2000